Het Nieuwe Blokken Quizboek
René Bijnens & Kris Soret

HET NIEUWE

BLOKKEN

QUIZBOEK

René Bijnens & Kris Soret

© VAR/VRT & Uitgeverij Van Halewyck
Diestsesteenweg 71a – 3010 Leuven
www.vanhalewyck.be
www.een.be/blokken

Eerste druk: december 2008
Tweede druk: januari 2009

Foto cover: Phile Deprez
Cover: Julie Van Severen en Filip Coopman
Vormgeving en zetwerk: Magelaan
Druk: Peeters, Herent

NUR 494/740
ISBN 978 90 5617 896 3
D/2008/7104/54

HANDIGE LIJSTJES

Dit boek bevat dertig vragenreeksen van dertig vragen.
Na elke reeks vind je een lijstje om je quizkennis wat bij te schaven.

1. Welk modehuis lanceerde in 1978 zijn eerste parfum, Anaïs Anaïs?

2. Geef de voornaam van de presentator van het Nederlandse televisie-programma 'Mooi! Weer De Leeuw'.

3. Welke Italiaanse politicus schoffeerde in april 2008 de Spanjaarden met de uitspraak dat er te veel vrouwen in de Spaanse regering zaten?

4. Van welke van de Verenigde Staten van Amerika mag de naam in postadressen officieel worden afgekort tot 'NE'?

5. Hoe noemt men een vrouwelijk schaap?

6. Welke Sofia won in 2004 een Oscar voor het script van haar film 'Lost in Translation'?

7. Wat meet een altimeter?

8. Wat is de kortste afstand in het olympisch zwemmen?

9. Welke Engelse gitarist, die onder meer bij de Yardbirds speelde, kreeg omwille van zijn melodische gitaarspel de bijnaam 'Slowhand'?

10. Welke bloem is het officieel erkende symbool van Engeland: de roos, de distel of de narcis?

 # antwoorden

1. Cacharel
2. Paul
   Paul De Leeuw. Het programma wordt door de VARA gemaakt en uitgezonden.
3. Silvio Berlusconi
   De Spaanse regering van premier José Zapatero telde toen negen vrouwen en acht mannen.
4. Van Nebraska
   Die afkortingen zijn vastgelegd in een officiële lijst van de U.S. Postal Service, de Amerikaanse postdienst.
5. Ooi
6. Sofia Coppola
   Ze is de dochter van regisseur Francis Ford Coppola.
7. De hoogte
8. 50 meter
   De kortste discipline in het olympisch zwemmen is de 50 meter vrije slag.
9. Eric Clapton
10. De roos
    De distel is het symbool van Schotland, de narcis van Wales.

11. Hoe heten Jansen en Janssen in de Franstalige Kuifjestrips?

12. Hoe heet de Griekse witte tafelwijn waaraan hars van pijnbomen is toegevoegd?

13. Welke auteur bracht in 1979 de dichtbundel 'De lenige liefde' uit?

14. Hoe heet de boom waarvan de bladeren als enig voedsel dienen voor de koala, het buidelbeertje van Australië?

15. Hoeveel is 80 tot de tweede macht?

16. Wie speelt in 'Mr. & Mrs. Smith', een film die in de zomer van 2005 bij ons uitkwam, de rol van huurmoordenares Mrs. Smith?

17. Welke medaille behaalde de Belgische judoka Heidi Rakels op de Olympische Spelen van 1992 in Barcelona?

18. Van welk Frans automerk zijn Laguna, Safrane en Kangoo modellen?

19. Hoe heten de hangende druipsteenpegels die in een grot gevormd worden?

20. De kleine Belgische gemeente Herstappe is een taalgrensgemeente met faciliteiten. In welke provincie ligt ze?

 **antwoorden**

11. Dupont et Dupond
    Respectievelijk met 't' en 'd'. In het Engels heten ze 'Thomson' en 'Thompson', in het Spaans 'Hernandez' en 'Fernandez'.
12. Retsina
13. Herman De Coninck
14. Eucalyptus
15. 6400
16. Angelina Jolie
17. Een bronzen
    Zij behaalde die medaille in de categorie 'tot 66 kilogram'.
18. Van Renault
19. Stalactieten
20. In Limburg
    Herstappe ligt in het Nederlandse taalgebied. De gemeente kent faciliteiten toe aan Franstaligen.

21. Van welke vrucht is Conference een bekende variëteit?

22. Wat is de voornaam van de dochter van Leona Detiège die in 2003 volksvertegenwoordiger werd?

23. Welk sterrenbeeld bevindt zich in de dierenriem tussen Ram en Tweelingen?

24. Welk chemisch element heeft als symbool 'P'?

25. Van welke Stabroekse groep is Sam Valkenborgh de zanger?

26. Welk kruid geeft bearnaisesaus zijn specifieke smaak?

27. In welke sport werden de Ier Ken Doherty en de Schot Graeme Dott ooit wereldkampioen?

28. Op welk lichaamsdeel kan een arts een trepanatie uitvoeren: op de schedel, op het hart of op het oog?

29. Tot welk Europees land behoren het schiereiland Jutland en de eilanden Seeland, Funen, Lolland en Falster?

30. Het hoeveelste kind van prins Filip en prinses Mathilde is prinses Eléonore, die op 16 april 2008 geboren werd?

ANTWOORDEN

21. Van de peer
22. Maya
    Leona Detiège was burgemeester van Antwerpen van 1995 tot 2003. Daarvoor was ze al minister en staatssecretaris.
23. Stier
24. Fosfor
    Afkorting van het Griekse 'phosphoros', 'lichtdragend'.
25. Van Fixkes
26. Dragon; keizersalade
    'Estragon' is Frans.
27. In het snooker
    Ken Doherty was wereldkampioen in 1997 en Graeme Dott in 2006.
28. Op de schedel
    Een trepanatie is een schedelboring; het is een van de oudste bekende operatietechnieken.
29. Tot Denemarken
30. Het vierde
    Filip en Mathilde hadden al drie kinderen: prinses Elisabeth, prins Gabriël en prins Emmanuel.

VROUWEN		
DISCIPLINE	PRESTATIE	NAAM
100 m	10,49 s	Florence Griffith Joyner
200 m	21,34 s	Florence Griffith Joyner
400 m	47,60 s	Marita Koch
800 m	1:53,28 min	Jarmila Kratochvílová
1500 m	3:50,46 min	Qu Yunxia
5000 m	14:11,15 min	Tirunesh Dibaba
10.000 m	29:31,78 min	Wang Junxia
Marathon	02:15:25 uur	Paula Radcliffe
3000 m steeple	8:58,81 min	Goelnara Samitova
100 m horden	12,21 s	Jordanka Donkova
400 m horden	52,34 s	Joelja Pesjonkina
Hoogspringen	2,09 m	Stefka Kostadinova
Polsstokspringen	5,05 m	Jelena Isinbajeva
Verspringen	7,52 m	Galina Chistjakova
Hink-stap-springen	15,50 m	Inessa Kravets
Kogelstoten	22,63 m	Natalia Lisovskaja
Discuswerpen	76,80 m	Gabriele Reinsch
Hamerslingeren	77,80 m	Tatjana Lisenko
Speerwerpen	72,28 m (huidig ontwerp)	Barbora Špotáková
	80,00 m (oud ontwerp)	Petra Felke
Heptatlon	7291 punten	Jackie Joyner-Kersee
20 km snelwandelen (stratencircuit)	01:25:41 uur	Olimpiada Ivanova
4x100 m	41,37 s	Silke Gladisch Sabine Rieger Ingrid Auerswald Marlies Göhr
4x400 m	3:15,17 min	Tatjana Ledovskaja Olga Nazarova Maria Pinigina Olga Brizgina

MANNEN		
DISCIPLINE	PRESTATIE	NAAM
100 m	9,69 s	**Usain Bolt**
200 m	19,30 s	**Usain Bolt**
400 m	43,18 s	**Michael Johnson**
800 m	1:41,11 min	**Wilson Kipketer**
1500 m	3:26,00 min	**Hicham El Guerrouj**
5000 m	12:37,35 min	**Kenenisa Bekele**
10.000 m	26:17,53 min	**Kenenisa Bekele**
Marathon	02:03:59 uur	**Haile Gebrselassie**
3000 m steeple	7:53,63 min	**Saif Saaeed Shaheen**
110 m horden	12,87 s	**Dayron Robles**
400 m horden	46,78 s	**Kevin Young**
Hoogspringen	2,45 m	**Javier Sotomayor**
Polsstokspringen	6,14 m	**Sergej Boebka**
Verspringen	8,95 m	**Mike Powell**
Hink-stap-springen	18,29 m	**Jonathan Edwards**
Kogelstoten	23,12 m	**Randy Barnes**
Discuswerpen	74,08 m	**Jürgen Schult**
Hamerslingeren	86,74 m	**Yuriy Sedych**
Speerwerpen	98,48 m (huidig ontwerp)	**Jan Železný**
	104,80 m (oud ontwerp)	**Uwe Hohn**
Decatlon	9026 punten	**Roman Šebrle**
20 km snelwandelen (stratencircuit)	01:16:43 uur	**Sergej Morozov**
50 km snelwandelen (stratencircuit)	03:34:14 uur	**Denis Nizjegorodov**
4x100 m	37,10 s	**Nesta Carter** **Michael Frater** **Usain Bolt** **Asafa Powell**
4x400 m	2:54,29 min	**Andrew Valmon** **Quincy Watts** **Butch Reynolds** **Michael Johnson**

1. Hoe heet de krachtpatser uit het Oude Testament die verraden werd door zijn geliefde Delila?

2. Hoe heet de door Charles Schulz getekende strip waarin Charlie Brown centraal staat?

3. In welke sport wordt de bal van de tee naar de green geslagen?

4. In welk werelddeel ligt Mantsjoerije?

5. Welk van deze dieren bestaat niet: de fluitkever, de fluitkikker of de fluithaas?

6. Welke acteur hebben de films 'Mrs. Doubtfire', 'Flubber' en 'Hook' gemeenschappelijk?

7. Welk lichaamsdeel wordt onderzocht met behulp van een odontoscoop: de mond, de maag of het oor?

8. Welke alcoholische drank vormt de basis voor het bereiden van een 'daiquiri'?

9. Welke Annemie legde op 20 maart 2008 de eed af als minister van Migratie- en Asielbeleid in de federale regering-Leterme I?

10. Uit welke hit van K3 komen deze zinnen: 'C'est qui à l'appareil? Allô allô? Je n'entends rien que ta voix, es-tu si beau?'?

antwoorden

1. Samson
De Israëliet Samson was buitengewoon sterk, maar aan zijn geliefde Delila bekende hij dat hij zijn kracht verloor als men zijn haren afschoor.

2. Peanuts
Charlies hond Snoopy speelt een belangrijke rol in 'Peanuts'.

3. In golf
De tee is de afslagplaats. De green is het gedeelte van de golfbaan rond de hole.

4. In Azië
'Mantsjoerije' is de historische benaming van het gebied in het noordoosten van de Volksrepubliek China, aan de grens met Rusland en Noord-Korea.

5. De fluitkever
De fluithaas of pika leeft in de Himalaya en kan fluiten, net zoals de Zuid-Amerikaanse fluitkikker.

6. Robin Williams

7. De mond
Een odontoscoop is een mondspiegeltje; het woord is afgeleid van het Griekse 'odon', wat 'tand' betekent, en 'skopein', wat 'zien' betekent.

8. Rum
Een daiquiri is een cocktail van rum, citroen en suiker. Het drankje is genoemd naar de plaats Daiquiri bij Santiago de Cuba, waar de rum vandaan kwam.

9. Annemie Turtelboom
Annemie Turtelboom is lid van Open VLD.

10. Uit 'Tele-Romeo'
Dit zijn enkele Franse zinnen uit een overwegend Nederlandstalige tekst.

11. Als je de namen van de Vlaamse provinciehoofdsteden alfabetisch rangschikt, welke stad staat dan op de tweede plaats?

12. Wat is de Nederlandse benaming voor het femur, het grootste bot van het menselijk lichaam?

13. 'Ben X', de film van Nic Balthazar uit 2007, was gebaseerd op de roman 'Niets was alles wat hij zei'. Wie schreef dat boek?

14. Wat is het enige grandslamtennistoernooi dat op gravel wordt gespeeld?

15. Welke planeet beweegt zich tussen de banen van Venus en Mars?

16. Op welke zender wordt elke werkdag na het economische journaal het programma 'De Beurs Vandaag' uitgezonden?

17. Welk land in het Midden-Oosten heeft een menora in zijn wapenschild?

18. Wat is het teer guichelheil: een paddenstoel, een bloem of een vlinder?

19. Van welke Vlaamse stad worden de inwoners soms 'stroppendragers' genoemd?

20. Hoeveel procent zuiver goud bevat 18-karaats goud?

antwoorden

11. Brugge
Antwerpen staat op de eerste plaats. Brugge is de hoofdstad van de provincie West-Vlaanderen. De andere Vlaamse provinciehoofdsteden zijn Gent, Hasselt en Leuven.

12. Dijbeen
Het dijbeen is het deel van het been tussen de knie en de heup.

13. Nic Balthazar

14. Roland Garros
Het tennistornooi van Wimbledon wordt op gras gespeeld, in Flushing Meadow en in Melbourne speelt men op een kunststofbaan.

15. De aarde

16. Op Kanaal Z

17. Israël
Een menora is een zevenarmige kandelaar die wordt gebruikt in joodse synagogen.

18. Een bloem
Teer guichelheil vind je langs wegen en in graslanden. De bloem is rood of blauw.

19. Van Gent
De Gentenaars kregen deze bijnaam toen Keizer Karel de Gentse oproerlingen als straf met een strop om de hals de straat opstuurde.

20. 75 procent
Zuiver goud is 24-karaats. 18 is drie vierde van 24, of 75 procent.

21. Door welk Amerikaans dagblad is in 1972 de Watergateaffaire aan het rollen gebracht?

22. Hoeveel graden tellen alle hoeken van een parallellogram samen?

23. In welke stad speelt 'Ratatouille' zich af, een film uit 2007 over een rat die topkok wil worden?

24. Van welke tropische ziekte die door steekmuggen wordt overgebracht, is de naam afgeleid van het Italiaans voor 'slechte lucht'?

25. Op welke hit van Village People is het nummer 'Bij de Rijkswacht' van De Strangers gebaseerd?

26. Welke van deze sporten is niet genoemd naar een plaats: rugby, badminton of karate?

27. In welk land is er een internationale luchthaven genoemd naar Wolfgang Amadeus Mozart?

28. Hoe wordt de Andalusische groentesoep genoemd die koud wordt opgediend?

29. In welke federale wetgevende kamer zetelt prinses Astrid sinds 1996?

30. Welk Duits topmodel huwde in 2005 met de Britse zanger Seal?

antwoorden

21. Door de Washington Post
22. 360
23. In Parijs
24. Van malaria
    De verouderde naam 'moeraskoorts' herinnert eraan dat de ziekte vroeger werd toegeschreven aan de 'slechte lucht' of 'mala aria' in moerassige streken.
25. Op 'In the Navy'
26. Karate
    Rugby is genoemd naar een Engels stadje aan de Avon. Badminton werd genoemd naar het Engelse landgoed waar het in 1873 voor het eerst werd gespeeld. 'Karate' is aan het Japans ontleend en betekent 'lege hand'.
27. In Oostenrijk
    Die luchthaven heet 'Salzburg Airport W.A. Mozart'.
28. Gazpacho
    Gazpacho is een koude groentesoep met tomaten, knoflook, olie, zout, water, wijnazijn en fijngehakte groenten als komkommer, piment en pepers. Ook ajo blanco is een koude soep, maar dan op basis van look en amandelen.
29. In de Senaat
    Op 20 november 1996 legde prinses Astrid de eed af als senator. Meerderjarige kinderen van de koning kunnen de eed als senator afleggen, zij zijn dan senator van rechtswege.
30. Heidi Klum

TWAALF GODEN VAN HET PANTHEON

ROMEINS	GRIEKS (Latijnse spelling)
Apollo	Phoebus
Ceres	Demeter
Diana	Artemis
Juno	Hera
Jupiter	Zeus
Mars	Ares
Mercurius	Hermes
Minerva	Pallas Athene
Neptunus	Poseidon
Venus	Aphrodite
Vesta	Hestia
Vulcanus	Hephaestus

1. Hoe heet de spelconsole die het Japanse bedrijf Sony in 1994 op de markt bracht?

2. Welke popartkunstenaar werd in juni '68 neergeschoten door Valerie Solanas?

3. In de hedendaagse schermsport worden drie wapens gebruikt. Wat is naast de floret en de sabel het derde wapen?

4. In welk land liggen de wijnstreken Napa Valley en Sonoma Coast?

5. Hoe noemen biologen het vrouwelijke orgaan van een bloem dat bestaat uit vruchtbeginsel, stijl en stempel?

6. Welke actrice hebben 'Nell', 'Sommersby' en 'The Silence of the Lambs', drie films uit de jaren negentig, gemeenschappelijk?

7. Welke rockgroep rond Stijn Meuris startte op 3 april 2008 een tournee door Vlaanderen in een circustent?

8. Welke Rus werd eind 2007 door het Amerikaanse nieuwsmagazine Time uitgeroepen als de 'Persoon van 2007'?

9. Welk uitzendbureau gebruikt de slogan 'Good to Know You'?

10. In welke roman van Dimitri Verhulst vertelt de schrijver over zijn jeugd in het fictieve dorpje Reetveerdegem?

 ANTWOORDEN

1. PlayStation (1)
   In 2000 kwam PlayStation 2 uit, in 2006 PlayStation 3.
2. Andy Warhol
   Warhol was zwaargewond. Vrouwenrechtenactiviste Solanas was een bekende van hem. In '97 werd een film over haar uitgebracht, 'I Shot Andy Warhol'.
3. Degen
4. In de Verenigde Staten (van Amerika)
   Napa Valley en Sonoma zijn wijngebieden in Californië.
5. De stamper
   Boven op de stamper komt het stuifmeel terecht dat via de stijl in het vruchtbeginsel binnendringt en daar de bloem bevrucht.
6. Jodie Foster
7. Monza
   'Rock im Ring' heette die tournee.
8. Vladimir Poetin
   Poetin kreeg de onderscheiding omdat hij door zijn leiderschap stabiliteit had gebracht in een land dat in chaos verkeerde.
9. Randstad
10. In 'De helaasheid der dingen'

11. Hoe noemen we met een Zwitsers-Franse keukenterm een gepaneerde kalfsoester gevuld met ham en kaas?

12. Zijn trombocyten rode bloedcellen, witte bloedcellen of bloedplaatjes?

13. Het Tatragebergte bevindt zich op het grondgebied van twee landen. Slowakije is er een van, wat is het andere?

14. In welke sport werden de West-Duitser Rudi Altig en de Brit Tom Simpson ooit wereldkampioen?

15. Hoeveel poten hebben twee vliegen en twee spinnen samen?

16. Wie schreef het sprookje 'De Indische Waterlelies', dat in de Efteling wordt uitgebeeld?

17. Waarvan is de 'R' de afkorting in 'RVA', de naam van een Belgische openbare instelling die zich bezighoudt met de werkloosheidsuitkeringen?

18. Noem het buurland van China waarvan de Nederlandse naam met een 'P' begint.

19. Welk dier bestaat niet: de snotolf, de axolotl of de giek?

20. Welke Freek trad op 14 november 2007 voor het eerst aan als nieuwsanker bij de VRT?

anTWOORDen

11. Cordon bleu
12. Bloedplaatjes
    Trombocyten spelen een rol bij de bloedstolling; rode bloedcellen zorgen voor het zuurstoftransport; witte bloedcellen beschermen het lichaam tegen infecties.
13. Polen
    Het Tatragebergte maakt deel uit van de West-Karpaten.
14. In het wielrennen
    Altig werd wereldkampioen op de weg bij de profs in 1966, Simpson in 1965.
15. 28
    Vliegen hebben zes poten, spinnen hebben er acht.
16. Koningin Fabiola
17. Van 'Rijksdienst'
    'RVA' is de afkorting van 'Rijksdienst voor Arbeidsvoorziening'.
18. Pakistan
19. De giek
    De snotolf is een roofvis. De axolotl is een Mexicaanse salamander. Een giek is een dwarsbalk op een zeilboot of op een kraan.
20. Freek Braeckman

21. Een trein rijdt 150 kilometer per uur. In hoeveel minuten heeft hij 30 kilometer afgelegd?

22. Wie speelt in de film 'Man zkt. vrouw' uit 2007 de rol van de eenzame weduwnaar Leopold die op zoek is naar aandacht en liefde?

23. In welk deelgebied van het Verenigd Koninkrijk kondigde premier Ian Paisley begin maart 2008 zijn ontslag aan?

24. Van welk Engels woord is 'e' de afkorting in het woord 'e-mail'?

25. Welke Britse zanger zong tijdens een optreden in Vorst Nationaal op 18 maart 2008 zijn hits 'Goodbye My Lover' en 'You're Beautiful'?

26. Welke Vlaamse stad is bekend voor zijn 97 meter hoge Sint-Rombouts-kathedraal, waarin kardinaal Mercier werd begraven?

27. Uit welke vruchten wordt de Italiaanse drank 'grappa' gedestilleerd?

28. Welke planeet uit ons zonnestelsel werd genoemd naar de Romeinse god van de oorlog?

29. Bij welke voetbalclub beëindigde Glen De Boeck in 2005 zijn spelerscarrière?

30. Hoe luidt de wapenspreuk van België?

 **antwoorden**

21. In 12 minuten
    30 kilometer is een vijfde van 150 kilometer. Een vijfde van een uur is 12 minuten.
22. Jan Decleir
23. In Noord-Ierland
    Ian Paisley werd begin mei 2007 premier van Noord-Ierland.
24. Van 'electronic'
25. James Blunt
26. Mechelen
    De toren werd gebouwd tussen 1452 en 1520 en zou oorspronkelijk 167 meter hoog worden. Hij werd om financiële redenen nooit afgewerkt.
27. Uit druiven
    Nadat het sap uit de druiven is geperst, laat men de restanten nagisten; hieruit wordt dan de 'grappa' gedestilleerd.
28. Mars
29. Bij (RSC) Anderlecht
30. Eendracht maakt macht; L'Union fait la force

GOUDEN PALMWINNAARS VANAF 1951

1951	Fröken Julie	Alf Sjöberg	ZWEDEN
1951	Miracolo a Milano	Vittorio De Sica	ITALIË
1952	Othello	Orson Welles	VS
1952	Due soldi di speranza	Renato Castellani	ITALIË
1953	Le Salaire de la peur	Henri-Georges Clouzot	FRANKRIJK
1954	Jigokumon (Gate of Hell)	Kinugasa Teinosuke	JAPAN
1955	Marty	Delbert Mann	VS
1956	Le Monde du silence	Jacques-Yves Cousteau & Louis Malle	FRANKRIJK
1957	Friendly Persuasion	William Wyler	VS
1958	Letyat zhuravil (The Cranes are Flying)	Mikhaïl Kalatozov	SOVJET-UNIE
1959	Orfeu Negro	Marcel Camus	FRANKRIJK
1960	La Dolce Vita	Federico Fellini	ITALIË
1961	Une aussi longue absence	Henri Colpi	FRANKRIJK
1961	Viridiana	Luis Buñuel	SPANJE
1962	O pagador de promessas	Anselmo Duarte	BRAZILIË
1963	Il Gattopardo	Luchino Visconti	ITALIË
1964	Les Parapluies de Cherbourg	Jacques Demy	FRANKRIJK
1965	The Knack...and How to Get It	Richard Lester	VERENIGD KONINKRIJK
1966	Un Homme et une femme	Claude Lelouch	FRANKRIJK
1966	Signore & signori	Pietro Germi	ITALIË
1967	Blowup	Michelangelo Antonioni	ITALIË
1968	(afgelast)		
1969	If...	Lindsay Anderson	VERENIGD KONINKRIJK
1970	M*A*S*H	Robert Altman	VS
1971	The Go-Between	Joseph Losey	VERENIGD KONINKRIJK
1972	La classe operaia va in paradiso	Elio Petri	ITALIË
1972	Il caso Mattei	Francesco Rosi	ITALIË
1973	The Hireling	Alan Bridges	VERENIGD KONINKRIJK
1973	Scarecrow	Jerry Schatzberg	VS
1974	The Conversation	Francis Ford Coppola	VS
1975	Chronique des années de braise	Mohammed Lakhdar-Hamina	ALGERIJE
1976	Taxi Driver	Martin Scorsese	VS
1977	Padre padrone	Paolo & Vittorio Taviani	ITALIË
1978	L'albero degli zoccoli	Ermanno Olmi	ITALIË
1979	Apocalypse Now	Francis Ford Coppola	VS
1979	Die Blechtrommel	Volker Schlöndorff	WEST-DUITSLAND

1980	All That Jazz	*Bob Fosse*	VS
1980	Kagemusha	*Akira Kurosawa*	JAPAN
1981	Czlowiek z zelaza (Man of Iron)	*Andrzej Wajda*	POLEN
1982	Missing	*Costa-Gavras*	VS
1982	Yol	*Yilmaz Güney*	TURKIJE
1983	Narayama bushiko (Ballad of Narayama)	*Shohei Imamura*	JAPAN
1984	Paris, Texas	*Wim Wenders*	WEST-DUITSLAND
1985	Otac na sluzbenom putu (When Father Was Away on Business)	*Emir Kusturica*	JOEGOSLAVIË
1986	The Mission	*Roland Joffé*	VERENIGD KONINKRIJK
1987	Sous le soleil de Satan	*Maurice Pialat*	FRANKRIJK
1988	Pelle erobreren (Pelle de Veroveraar)	*Bille August*	DENEMARKEN
1989	Sex, Lies and Videotape	*Steven Soderbergh*	VS
1990	Wild at Heart	*David Lynch*	VS
1991	Barton Fink	*Joel Coen & Ethan Coen*	VS
1992	Den Goda viljan	*Bille August*	DENEMARKEN
1993	Ba wang bie ji (Farewell My Concubine)	*Chen Kaige*	CHINA
1993	The Piano	*Jane Campion*	NIEUW-ZEELAND
1994	Pulp Fiction	*Quentin Tarantino*	VS
1995	Underground	*Emir Kusturica*	BOSNIË
1996	Secrets and Lies	*Mike Leigh*	VERENIGD KONINKRIJK
1997	Ta'm e guilass (A Taste of Cherry)	*Abbas Kiarostami*	IRAN
1997	Unagi	*Shohei Imamura*	JAPAN
1998	Mia aioniotihta kai mia mera (Eternity and a Day)	*Theo Angelopoulos*	GRIEKENLAND
1999	Rosetta	*Luc & Jean-Pierre Dardenne*	BELGIË
2000	Dancer in the Dark	*Lars von Trier*	DENEMARKEN
2001	La stanza del figlio	*Nanni Moretti*	ITALIË
2002	The Pianist	*Roman Polanski*	FRANKRIJK
2003	Elephant	*Gus Van Sant*	VS
2004	Fahrenheit 9/11	*Michael Moore*	VS
2005	L'Enfant	*Luc & Jean-Pierre Dardenne*	BELGIË
2006	The Wind That Shakes the Barley	*Ken Loach*	IERLAND/UK
2007	4 luni, 3 săptămâni şi 2 zile (4 Months, 3 Weeks & 2 Days)	*Cristian Mungiu*	ROEMENIË
2008	Entre les murs	*Laurent Cantet*	FRANKRIJK

1. Hoe noemen de Japanners de kunst van het papiervouwen?

2. Welke Romeinse landvoogd veroordeelde Jezus Christus tot de kruisdood, maar 'waste zijn handen in onschuld'?

3. Met welke vette Italiaanse roomkaas wordt het dessert 'tiramisu' bereid?

4. In welk land rijd je door de bijna 54 kilometer lange Seikantunnel van Honshu naar Hokkaido?

5. Van welke van de vijf klassen van de gewervelde dieren wordt het paren 'paaien' genoemd?

6. Welke Engelse wetenschapper gaf zijn naam aan de hoofdeenheid van kracht?

7. In welke animatiefilm uit 1995 krijgt de jongen Andy de astronautenpop Buzz Lightyear als verjaardagscadeau?

8. Van welke republiek was Mustafa Kemal, die later bekend werd als Atatürk, in 1923 de stichter en de eerste president?

9. In welke atletiekdiscipline brak de Cubaan Javier Sotomayor in 1993 het wereldrecord?

10. Welke Nederlandse charmezanger had, samen met Laura Lynn, een hit in de Vlaamse Ultratop met 'Als ik de lichtjes in jouw ogen zie'?

 ## antwoorden

1. Origami
2. Pontius Pilatus
3. Met mascarpone
   Mascarpone heeft een vetgehalte van 90 procent.
4. In Japan
   Honshu en Hokkaido zijn twee van de Japanse eilanden.
5. Van de vissen
6. Isaac Newton
   Newton formuleerde als eerste de wetten van de zwaartekracht.
7. In 'Toy Story'
8. Van Turkije
   De naam 'Atatürk' betekent 'vader der Turken'.
9. In het hoogspringen
   In de Spaanse stad Salamanca sprong hij toen over 2 meter en 45 centimeter.
10. Frans Bauer

11. Wat is de uit de Eskimotaal afkomstige benaming voor een parka
of windjak met capuchon?

12. Welke stad in de Amerikaanse staat Michigan wordt ook
'The Motor City' genoemd?

13. Welke plant bestaat niet: venushaar, venusoor of venusschoentje?

14. Welke Nederlandse schrijver van bestsellers als 'Turks Fruit' en
'Kort Amerikaans' overleed op 19 oktober 2007 op 81-jarige leeftijd?

15. Hoeveel is 6 procent van 250?

16. Hoeveel frank was het Belgische bankbiljet waard dat in 1964 werd
uitgebracht en waarop het Atomium was afgebeeld?

17. Welk VTM-datingprogramma is gebaseerd op het Britse programma
'The Farmer Wants A Wife'?

18. Welke Pakistaanse oppositieleidster kwam op 27 december 2007
bij een aanslag om het leven?

19. Welke rivier ontspringt in het Henegouwse Soignies, stroomt door
Brussel en mondt nabij Mechelen in de Dijle uit?

20. Hoe heten de twee halvemaanvormige kraakbeenschijfjes in ons
kniegewricht, die een buffer vormen tussen de gewrichtsvlakken?

antwoorden

11. Anorak
12. Detroit
    Detroit is een van de grootste centra van automobielproductie ter wereld.
13. Venusoor
    Venushaar is een kamerplant uit de varenfamilie, het venusschoentje is een soort orchidee.
    Het venusoor is een schelp.
14. Jan Wolkers
15. 15
    Zes procent van 50 is drie en zes procent van 200 is twaalf. Drie plus twaalf is vijftien.
16. 20 frank
17. Boer zkt. Vrouw
18. Benazir Bhutto
    Ze werd neergeschoten nadat ze een verkiezingstoespraak had gehouden op een politieke
    bijeenkomst van de Pakistan Peoples Party in Rawalpindi.
19. De Zenne
20. Meniscussen; menisci

21. Van welk woord is de 'A' de afkorting in 'CIA', de naam van de voornaamste inlichtingendienst van de Verenigde Staten?

22. Welk Zwitsers chocolademerk zette op de verpakking van zijn driehoekige repen als logo de top van de berg Matterhorn?

23. Hoeveel lege vakjes blijven er over in een sudoku als er al 70 ingevuld zijn?

24. Welk leesteken heet in het Frans 'la virgule'?

25. Welke anijsdrank wordt de nationale drank van Griekenland genoemd?

26. Desmond Llewelyn speelde van 1964 tot 1999 de rol van de gadgetexpert in de James Bond-films. Met welke letter van het alfabet werd hij aangesproken in die films?

27. Hoe heet de officiële munt van zowel India, Sri Lanka als Pakistan?

28. Welke Belgische autocoureur won in 1989 twee formule 1-wedstrijden?

29. Welk orgaan kan getroffen worden door cataract: het oor, het oog of de neus?

30. Met welke Britse rockster was het Amerikaanse model Jerry Hall gehuwd van 1990 tot 1999?

 antwoorden

21. Van 'Agency'
     'CIA' is de afkorting van 'Central Intelligence Agency'.
22. Toblerone
     In 1867 bracht Jean Tobler de eerste Toblerone-chocolade op de markt.
23. Elf
     Een sudoku telt negen vierkanten van negen vakjes, 81 in totaal dus.
24. De komma
25. Ouzo
     In Griekenland wordt ouzo gedronken als aperitief. Met water aangelengd vormt ouzo
     een melkwitte drank.
26. Met 'Q'
     Zijn echte naam, Major Boothroyd, wordt zelden vermeld in de films. 'Q' staat voor 'quartermaster',
     de benaming van de officier die verantwoordelijk is voor bewapening en bevoorrading.
27. Roepie
28. Thierry Boutsen
     In 1989 won hij de Grote Prijs van Canada en de Grote Prijs van Australië. In dat jaar werd hij
     vijfde in de eindstand van het WK.
29. Het oog
     Cataract of staar is een oogziekte waarbij een vertroebeling van de ooglens optreedt.
30. Met Mick Jagger
     Ze hebben samen vier kinderen.

LITERATUURPRIJZEN

AKO LITERATUURPRIJS

1987	J. Bernlef	Publiek geheim
1988	Geerten Meijsing	Veranderlijk en wisselvallig
1989	Brigitte Raskin	Het koekoeksjong
1990	Louis Ferron	Karelische nachten
1991	P.F. Thomése	Zuidland
1992	Margriet de Moor	Eerst grijs dan wit dan blauw
1993	Marcel Möring	Het grote verlangen
1994	G.L. Durlacher	Quarantaine
1995	Connie Palmen	De vriendschap
1996	Frits van Oostrom	Maerlants wereld
1997	A. F. Th. van der Heijden	Onder het plaveisel het moeras
1998	Herman Franke	De verbeelding
1999	Karel Glastra van Loon	De passievrucht
2000	Arnon Grunberg	Fantoompijn
2001	Jeroen Brouwers	Geheime kamers
2002	Allard Schröder	De hydrograaf
2003	Dik van der Meulen	Multatuli: Leven en werk van Eduard Douwes Dekker
2004	Arnon Grunberg	De asielzoeker
2005	Jan Siebelink	Knielen op een bed violen
2006	Hans Münstermann	De bekoring
2007	A. F. Th. van der Heijden	Het schervengericht
2008	Doeschka Meijsing	Over de liefde

DE GOUDEN UIL

1995	Adriaan van Dis	Indische duinen
1996	Guido van Heulendonk	Paarden zijn ook varkens
1997	A. F. Th. van der Heijden	Het Hof van Barmhartigheid & Onder het plaveisel het moeras
1998	Marcel Möring	In Babylon
1999	Geerten Meijsing	Tussen mes en keel
2000	Peter Verhelst	Tongkat
2001	Jeroen Brouwers	Geheime kamers
2002	Arnon Grunberg	De mensheid zij geprezen
2003	Tom Lanoye	Boze tongen
2004	Hafid Bouazza	Paravion
2005	Frank Westerman	El Negro en ik
2006	Henk van Woerden	Ultramarijn
2007	Arnon Grunberg	Tirza
2008	Marc Reugebrink	Het grote uitstel

LIBRIS LITERATUUR PRIJS

1994	Frida Vogels	De harde kern (2)
1995	Thomas Rosenboom	Gewassen vlees
1996	Alfred Kossmann	Huldigingen
1997	Hugo Claus	De geruchten
1998	J.J. Voskuil	Het bureau 3: Plankton
1999	Harry Mulisch	De procedure
2000	Thomas Rosenboom	Publieke werken
2001	Tomas Lieske	Franklin
2002	Robert Anker	Een soort Engeland
2003	Abdelkader Benali	De langverwachte
2004	Arthur Japin	Een schitterend gebrek
2005	Willem Jan Otten	Specht en zoon
2006	K. Schippers	Waar was je nou
2007	Arnon Grunberg	Tirza
2008	D. Hooijer	Sleur is een roofdier

1. Welke organisatie die zich inzet voor de strijd tegen lepra en tuberculose, heeft als logo een hartvormige vlinder?

2. Welke Vlaamse modeontwerper is voorzitter en kledingsponsor van de Italiaanse voetbalploeg FC Fossombrone?

3. Van welke Boliviaanse stad betekent de naam letterlijk 'de vrede'?

4. Leggen vivipare dieren eieren?

5. In welke sport werd de Kalmthoutse Elise Matthysen op 20 maart 2008 vierde op het EK in Eindhoven?

6. Hoeveel stompe hoeken heeft een gelijkzijdige driehoek?

7. Welke hoofdrolspeelster hebben de films 'Out of Africa', 'Plenty' en 'The French Lieutenant's Woman' gemeenschappelijk?

8. Welke Nederlandse politica, die uit de liberale partij VVD werd gezet, startte in oktober 2007 met haar eigen politieke beweging 'Trots op Nederland'?

9. Van welke groep rond zanger Andy McCluskey wordt de naam meestal afgekort tot 'OMD'?

10. In welke zee mondt de Rijn uit?

 antwoorden

1. Damiaanactie
2. Dirk Bikkembergs
3. Van La Paz
   La Paz is de grootste stad van Bolivia. La Paz is wel de regeringszetel, maar Sucre is de hoofdstad.
4. Nee
   Ovipare dieren leggen eieren, vivipare dieren zijn levendbarende dieren, ze brengen levende jongen ter wereld. 'Vivipaar' komt van het Latijnse 'vivus' (levend) en 'parere' (voortbrengen).
5. In het zwemmen
   Meer bepaald op de 100 meter schoolslag. Zij strandde op 1 honderdste seconde van het brons.
6. Geen; nul
   Stompe hoeken zijn groter dan 90 graden. Een gelijkzijdige driehoek heeft drie hoeken van 60 graden.
7. Meryl Streep
8. Rita Verdonk
   'IJzeren Rita' is haar bijnaam.
9. Van 'Orchestral Manoeuvres In The Dark'
10. In de Noordzee

11. Welke sprookjesfiguur heet in het Portugees 'Capuchinho Vermelho'?

12. Hoe heet de groene mierikswortelpasta die wordt geserveerd bij het Japanse gerecht sushi: 'wasabi' of 'sashimi'?

13. Welke van deze planten bestaat niet: het perzikkruid, de moeraskers of het sinaasappelgras?

14. Welke internationale medische hulporganisatio kreeg in 1999 de Nobelprijs voor de Vrede?

15. Hoeveel ogen tellen alle vlakken met een oneven aantal ogen op een dobbelsteen samen?

16. Welke VRT-journaliste presenteerde op 26 oktober 2007 voor de laatste keer het journaal omdat ze lijdt aan een schminkallergie?

17. In welke Franse opera zingen mensen in een herberg in koor 'Toréador, toréador'?

18. Op 31 januari 2008 werd Joke van Leeuwen stadsdichter van de stad Antwerpen. Welke Bart volgde zij op?

19. Welk Deens bedrijf produceert jaarlijks meer dan 300 miljoen bandjes voor speelgoedvoertuigen?

20. Van welk cultuurgewas zijn Assam, Ceylon en Darjeeling variëteiten?

ANTWOORDEN

11. Roodkapje
12. Wasabi
    Sashimi is een Japans gerecht dat bestaat uit rauwe vis.
13. Het sinaasappelgras
    De moeraskers is een gele bloem die je in polders en moerassen aantreft.
    Het perzikkruid werd zo genoemd omdat de bladeren op die van de perzik lijken.
14. Artsen Zonder Grenzen; Médecins sans Frontières
15. Negen
    Namelijk 1 plus 3 plus 5.
16. Sigrid Spruyt
17. In 'Carmen'
    'Carmen' is een opera van Georges Bizet. Met dit 'Toréador' wordt de beroemde stierenvechter Escamillo begroet als hij de herberg betreedt waar Carmen danst.
18. Bart Moeyaert
    In chronologische volgorde zijn dit de Antwerpse stadsdichters: Tom Lanoye, Ramsey Nasr, Bart Moeyaert en Joke van Leeuwen.
19. Lego
20. Van thee
    Deze theesoorten zijn genoemd naar hun plaats van herkomst.

21. Van welke zaalsport is de ITTF de internationale overkoepelende organisatie?

22. Wie was in 1978 slechts 33 dagen paus en overleed dan onverwacht?

23. Met welke andere Fransman werkt Christian Millau samen om zijn gerespecteerde restaurantgids samen te stellen?

24. In welke film uit 1979 van Francis Ford Coppola met Martin Sheen en Marlon Brando moet kapitein Willard kolonel Kurtz opsporen in de Cambodjaanse jungle?

25. Welk bot zit naast het spaakbeen in de onderarm van de mens?

26. In welk land ligt de Ararat, de berg waar volgens de overlevering de Ark van Noach gestrand zou zijn?

27. Welke Duitse groep stond in november 2007 gelijktijdig in de Ultratop met de nummers 'Monsoon' en 'Ready, Set, Go!'?

28. Hippiatrie is een studieonderdeel van de diergeneeskunde. Welk dier staat centraal in deze studie?

29. In welke Engelse stad worden in de hoogste voetbalklasse derby's gespeeld tussen Arsenal en FC Fulham?

30. Hoeveel maanden na het Feest van de Arbeid valt Allerheiligen?

antwoorden

21. Van tafeltennis
    'ITTF' is de afkorting van 'International Table Tennis Federation'.
22. Johannes-Paulus I; Albino Luciani
23. Met Henri Gault
    De Guide GaultMillau drukt zijn waardering voor restaurants uit in koksmutsen en niet in sterren zoals de Michelingids.
24. In 'Apocalypse Now'
25. De ellepijp; ulna
26. In Turkije
    In Oost-Turkije, vlakbij de grenzen met Iran en Armenië.
27. Tokio Hotel
28. Het paard
    Hippiatrie is de kennis van de ziekten van het paard. De term is afgeleid van 'hippos', het Griekse woord voor 'paard'.
29. In Londen
30. 6 maanden
    Allerheiligen valt op 1 november en het Feest van de Arbeid valt op 1 mei.

OPEC-LANDEN

OPEC (Organization of the Petroleum Exporting Countries)
Algerije
Angola
Ecuador
Indonesië
Irak
Iran
Koeweit
Libië
Nigeria
Qatar
Saudi-Arabië
Venezuela
Verenigde Arabische Emiraten

1. Hoe wordt een scheepskeuken in het Nederlands nog genoemd?

2. Welke ex-topman van de NMBS werd begin 2008 ereburgemeester van Liedekerke?

3. Ligt Australië op de Kreeftskeerkring of op de Steenbokskeerkring?

4. Tot welke diersoort behoort de ibis?

5. Hoeveel is de helft van de helft van vijftienhonderd?

6. Welke actrice speelde hoofdrollen in de romantische komedies 'My Best Friend's Wedding' en 'Notting Hill'?

7. Een basketbalmatch in de Belgische eerste klasse bestaat uit vier periodes. Hoeveel minuten duurt elke periode?

8. Welke Amerikaanse zangeres had begin 2007 met 'Dear Mr. President' een nummer 1-hit in de Ultratop?

9. Van welke delicatesse zijn Beluga, Sevruga en Ossetra de voornaamste variëteiten?

10. Van welke Antwerpse kunstenaar ging op 4 april 2008 in het Louvre een tentoonstelling van start onder de titel 'L'ange de la métamorphose'?

antwoorden

1. Kombuis
2. Etienne Schouppe
   Schouppe was van 1989 tot 2000 burgemeester van Liedekerke.
3. Op de Steenbokskeerkring
   De Kreeftskeerkring ligt in het noordelijk halfrond, op 23,5 graden boven de evenaar.
4. Vogels
   De ibis is een reigerachtige.
5. 375
   De helft van 1500 is 750, de helft daarvan 375.
6. Julia Roberts
7. 10 minuten
8. P!nk
   Haar echte naam is Alecia Moore.
9. Van kaviaar
   Kaviaar bestaat uit eieren van de steur. De kaviaarsoort wordt genoemd naar de steur waarvan hij afkomstig is. Beluga levert de grootste eieren, Sevruga de kleinste.
10. Van Jan Fabre

11. Bij welke heldin uit de Griekse mythologie verscheen Zeus in de gedaante van een zwaan?

12. Van welke darm is de twaalfvingerige darm het eerste stuk?

13. In welk land liggen de steden Fallujah en Ramadi?

14. Als men van 1 meter 1 decimeter aftrokt, hoeveel decimeter houdt men dan over?

15. Wie presenteerde op 7 september 2007 samen met Ivan De Vadder de eerste aflevering van het Canvas-programma 'De keien van de Wetstraat'?

16. Welke Nederlander eindigde in de jaren zeventig negen keer in de top tien in de Tour de France?

17. Waarvan is, in de wereld van de wijn, 'AOC' de afkorting?

18. In welke stripreeks verscheen de titel 'Fanny Girl'?

19. Hoe noemt men een inwoner van Venezuela?

20. Welke Mary lanceerde rond 1970 de hotpants, een nauw aansluitende korte broek voor vrouwen?

antwoorden

11. Bij Leda
12. Van de dunne darm
    De twaalfvingerige darm volgt in het spijsverteringsstelsel onmiddellijk op de maag. De naam wijst op de lengte van de darm.
13. In Irak
14. 9 decimeter
    1 meter is 10 decimeter.
15. Kathleen Cools
    In 'De keien van de Wetstraat' worden politici ondervraagd door het duo Cools-De Vadder.
16. Joop Zoetemelk
    In de periode 1970-1979 was hij vijfmaal tweede. In 1980 won hij de Tour.
17. Appellation d'origine contrôlée
    Deze strenge Franse kwaliteitscontrole geldt onder meer voor wijn, kaas en olijfolie.
18. In 'Kiekeboe'
    Fanny is de dochter van stripheld Kiekeboe.
19. Venezolaan
20. Mary Quant
    Rond 1965 lanceerde diezelfde Mary Quant de minirok.

21. Op welke planeet werd Superman geboren?

22. Wie schreef in 1988 het veelbesproken boek 'The Satanic Verses' of 'De Duivelsverzen'?

6

23. Geef een synoniem van vijf letters van 'aardnoot'.

24. In welke Nederlandse provincie liggen Apeldoorn en Arnhem?

25. In welke animatiemusical uit 2006 wordt een pinguïn geboren die niet kan zingen, enkel tapdansen?

26. Welke vitamine wordt in ons lichaam gevormd onder invloed van de ultravioletstraling van de zon?

27. Wat is de langste afstand in het olympische hordenlopen?

28. Van welk succesvol duo maakte George Michael in de jaren 80 deel uit voor hij als soloartiest bekend werd?

29. Welke Ierse lagekostenvliegtuigmaatschappij maakt reclame met de slogan 'Fly Cheaper'?

30. Hoe heette de Duitse propagandaminister tijdens het naziregime?

 **anTWOORDEN**

21. Op Krypton
22. Salman Rushdie
    De Iraanse ayatollah Khomeiny sprak een doodsvonnis uit over deze auteur wegens blasfemie en afvalligheid.
23. Pinda
    De pinda, aardnoot of grondnoot, die in de tropen wordt verbouwd, is een leverancier van eiwitten en vetten.
24. In Gelderland
    Apeldoorn ligt in het zuiden van het bos- en heidegebied De Hoge Veluwe. Arnhem is de hoofdstad van Gelderland.
25. In 'Happy Feet'
26. Vitamine D
27. 400 meter
    Zowel bij de vrouwen als bij de mannen is er een hordenloop over 400 meter.
28. Van Wham!
    Andrew Ridgeley was zijn kompaan bij Wham!
29. Ryanair
30. Joseph Goebbels

OSCARS VOOR DE BESTE FILM

2008	No Country for Old Men		1967	A Man for All Seasons
2007	The Departed		1966	The Sound of Music
2006	Crash		1965	My Fair Lady
2005	Million Dollar Baby		1964	Tom Jones
2004	The Lord Of The Rings: The Return of the King		1963	Lawrence of Arabia
2003	Chicago		1962	West Side Story
2002	A Beautiful Mind		1961	The Apartment
2001	Gladiator		1960	Ben-Hur
2000	American Beauty		1959	Gigi
1999	Shakespeare In Love		1958	The Bridge on the River Kwai
1998	Titanic		1957	Around the World in 80 Days
1997	The English Patient		1956	Marty
1996	Braveheart		1955	On the Waterfront
1995	Forrest Gump		1954	From Here to Eternity
1994	Schindler's List		1953	The Greatest Show on Earth
1993	Unforgiven		1952	An American in Paris
1992	The Silence of the Lambs		1951	All About Eve
1991	Dances with Wolves		1950	All the King's Men
1990	Driving Miss Daisy		1949	Hamlet
1989	Rain Man		1948	Gentleman's Agreement
1988	The Last Emperor		1947	The Best Years of Our Lives
1987	Platoon		1946	The Lost Weekend
1986	Out of Africa		1945	Going My Way
1985	Amadeus		1944	Casablanca
1984	Terms of Endearment		1943	Mrs. Miniver
1983	Gandhi		1942	How Green Was My Valley
1982	Chariots of Fire		1941	Rebecca
1981	Ordinary People		1940	Gone with the Wind
1980	Kramer vs. Kramer		1939	You Can't Take It With You
1979	The Deer Hunter		1938	The Life of Emile Zola
1978	Annie Hall		1937	The Great Ziegfeld
1977	Rocky		1936	Mutiny on the Bounty
1976	One Flew over the Cuckoo's Nest		1935	It Happened One Night
1975	The Godfather: Part II		1934	Cavalcade
1974	The Sting		1933	Grand Hotel
1973	The Godfather		1932	Cimarron
1972	The French Connection		1931	All Quiet on the Western Front
1971	Patton		1930	The Broadway Melody
1970	Midnight Cowboy		1929	Wings
1969	Oliver!			
1968	In the Heat of the Night			

1. Waarvoor staat de afkorting 'LCD' die je op polshorloges, rekenmachines en heel wat beeldschermen vindt?

2. Welke Italiaanse componist werd genomineerd voor Oscars voor zijn soundtracks bij de films 'Malèna', 'Bugsy' en 'The Untouchables'?

3. Hoe heet de van oorsprong Weense chocoladetaart die is gevuld met abrikozenjam en bedekt met chocoladeglazuur?

4. Aan welke Spaanse kust ligt Torremolinos: de Costa Blanca, de Costa Brava of de Costa del Sol?

5. Welk orgaan van het menselijk lichaam kan getroffen worden door angina pectoris?

6. Welk internationaal koeriersbedrijf werd in 1969 door drie Amerikanen gesticht en in 2002 overgenomen door Deutsche Post?

7. In welk land was Ferdinand Marcos aan de macht van 1965 tot 1986?

8. Wie beeldhouwde in 1880 'Le Penseur', 'De Denker'?

9. Welke militaire rang komt niet voor in het bordspel Stratego: sergeant, kolonel of admiraal?

10. Vul de titel aan van een album van de Sex Pistols: 'Never Mind the . .'.

antwoorden

1. Liquid Crystal Display
   Een lcd-scherm werkt op vloeibare kristallen.
2. Ennio Morricone
3. Sachertaart; Sachertorte
   Gecreëerd door de familie Sacher in 1832 voor vorst Metternich. In Hotel Sacher kan je nog de 'echte' taart proeven.
4. De Costa del Sol
   De Costa del Sol vormt de zuidkust van de regio Andalusië.
5. Het hart
   Angina pectoris is een krampachtige pijn achter het borstbeen door onvoldoende bloedtoevoer naar de hartspier.
6. DHL (Logistics)
   De naam 'DHL' werd gevormd door de eerste letters van 'Dalsey', 'Hillblom' en 'Lynn', de familienamen van de stichters.
7. In de Filipijnen
   Bij de verkiezingen van 1986 werd hij verslagen door Corazón Aquino.
8. Auguste Rodin
9. Admiraal
10. Bollocks

11. Wat is het product van de kwadraten van 2 en 5?

12. Welke Russin won op 9 maart 2008 het polsstokspringen op de wereldkampioenschappen indooratletiek in Valencia?

13. Hoe heet de vlag van het Verenigd Koninkrijk?

14. Welke filmmaker regisseerde in 1991 'Reservoir Dogs' met onder meer Harvey Keitel?

15. Welke vinger wordt in het Latijn 'index' genoemd?

16. Welke Piet sloot half september 2006 zijn restaurant 'Le Lutin Gourmand' in het Franse stadje Les Vans?

17. Van welk land was Tito van 1945 tot 1953 premier?

18. Hoe heten de carnavalisten uit Binche die een hoed met struisvogelveren dragen en die met sinaasappelen gooien?

19. Uit welke vruchten wordt de alcoholische drank calvados bereid?

20. Wat was de voornaam van de broer van Orville Wright, die in 1903 samen met Orville een bestuurbaar motorvliegtuig bouwde?

antwoorden

11. 100; 10 kwadraat
    2 kwadraat is 4. 5 kwadraat is 25. 4 maal 25 is 100.
12. Yelena Isinbayeva
    Zij won met een sprong over 4 meter en 75 centimeter.
13. Union Jack; Union Flag
14. Quentin Tarantino
15. De wijsvinger
16. Piet Huysentruyt
    Het restaurant opende in 2003 in de Franse Ardèche.
17. Van Joegoslavië
    Van 1953 tot aan zijn dood in 1980 was Tito president van Joegoslavië.
18. Gilles (de Binche)
    Sinds de 14de eeuw trekken de Gilles van Binche met carnaval door de stad.
    Door met hun klompen te dansen en op de grond te stampen verjagen ze de winter.
19. Uit appels
    Calvados is een brandewijn gestookt uit appelcider en afkomstig uit het departement Calvados in Normandië.
20. Wilbur
    Orville en Wilbur Wright waren Amerikaanse fietsenmakers die met vliegtuigen experimenteerden.

21. Hoe noemt men het verschijnsel uit de fysica dat je bijvoorbeeld waarneemt als je de sirene van een naderende ambulance van toon hoort veranderen?

22. Is de sequoia een vogel, een dinosaurus of een boom?

23. Welke Duitse auteur schreef in 1959 'De blikken trommel', waarin een dwerg, Oskar Matzerath, zijn levensverhaal vertelt?

24. Aan welke rivier ligt de Franse stad Orléans?

25. Welk Vlaams muzikaal duo bestaat uit Peter Van Laet en Gunter Van Campenhout?

26. Welke Nederlandse doelman begon in 2005 bij Manchester United te voetballen?

27. Welke Griekse letter staat in de formule waarmee je de oppervlakte van een cirkel berekent?

28. Hoeveel sterren kreeg het Kruishoutemse restaurant 'Hof van Cleve' in de Michelinrestaurantgids editie 2008?

29. Wie was naast Marcus, Lucas en Johannes de vierde evangelist?

30. Welke film met de Amerikaanse politicus Al Gore over de opwarming van de aarde kreeg in 2007 de Oscar voor de beste documentaire langspeelfilm?

antwoorden

21. Het dopplereffect
    Het verschijnsel werd genoemd naar Christian Johann Doppler (1803-1853) die het effect in 1842 ontdekte.

22. Een boom
    Sequoia's zijn naaldbomen die tot 100 meter hoog kunnen worden.
    Zij leveren het zogenaamde 'redwood'.

23. Günter Grass
24. Aan de Loire
25. Mama's Jasje
26. Edwin van der Sar
    Van der Sar werd in 2005 van Fulham naar Manchester getransfereerd.

27. Pi; π
    De oppervlakte van een cirkel wordt berekend met de formule 'pi maal r kwadraat'.
    'Pi' is ongeveer 3,14, 'r' is de straal van de cirkel.

28. 3 sterren
29. Matteüs
30. An Inconvenient Truth

DE 20 RIJKSTE MENSEN VOLGENS FORBES *(publicatie 5 maart 2008)*

			MILJARDEN DOLLARS
1	Warren Buffett	VERENIGDE STATEN	62
2	Carlos Slim Helu & familie	MEXICO	60
3	William Gates III	VERENIGDE STATEN	58
4	Lakshmi Mittal	INDIA	45
5	Mukesh Ambani	INDIA	43
6	Anil Ambani	INDIA	42
7	Ingvar Kamprad & familie	ZWEDEN	31
8	KP Singh	INDIA	30
9	Oleg Deripaska	RUSLAND	28
10	Karl Albrecht	DUITSLAND	27
11	Li Ka-shing	HONGKONG	26,5
12	Sheldon Adelson	VERENIGDE STATEN	26
13	Bernard Arnault	FRANKRIJK	25,5
14	Lawrence Ellison	VERENIGDE STATEN	25
15	Roman Abramovitsj	RUSLAND	23,5
16	Theo Albrecht	DUITSLAND	23
17	Liliane Bettencourt	FRANKRIJK	22,9
18	Alexei Mordasjov	RUSLAND	21,2
19	Prins Al-Waleed bin Talal Al-Saud	SAUDI-ARABIË	21
20	Mikhail Fridman	RUSLAND	20,8

1. Wie was de eerste Belg in de ruimte?

2. Welke Russische auteur schreef in 1957 de roman 'Dokter Zjivago'?

3. Welk land grenst zowel aan Litouwen als aan Duitsland?

4. Welk van deze dieren bestaat niet: de dikdik, de buulbuul of de toktok?

5. Welke hoofdrolspeler hebben de films 'Scent of a Woman', 'Donnie Brasco' en 'The Devil's Advocate' gemeenschappelijk?

6. Wat is het enige werpnummer dat aan bod komt bij indooratletiekwedstrijden?

7. In 1967 bracht speelgoedbedrijf Lego voor heel jonge kinderen grote legoblokken op de markt. Wat was de productnaam van deze blokken?

8. Welke Europese stad telt de meeste bruggen: Hamburg, Venetië of Amsterdam?

9. Welk Kuifje-album heet in het Spaans 'El Loto Azul'?

10. Welke in september 2007 overleden Italiaanse tenor stond een paar weken na zijn overlijden in de Britse hitlijsten met 'Nessun Dorma'?

antwoorden

1. Dirk Frimout
   In 1992 ging hij mee met het ruimteveer Atlantis 1.
2. Boris Pasternak
3. Polen
4. De toktok
   Dikdiks zijn antilopen, buulbuuls zijn tropische vogels.
5. Al Pacino
6. Kogelstoten
   Probeer maar eens te hamerslingeren, discuswerpen of speerwerpen in een zaal…
7. Duplo
   Duploblokken kunnen door kleine kinderen gemakkelijker gemanipuleerd worden dan de gewone kleine legoblokjes.
8. Hamburg
   Hamburg telt ongeveer 2400 bruggen, Amsterdam slechts 600 en Venetië niet meer dan 450.
9. De blauwe lotus
10. Luciano Pavarotti
    'Nessun Dorma' ('Niemand slaapt') is een aria uit Puccini's opera 'Turandot'.

11. Liggen de deelgemeente Minderhout en de gemeente Meerhout in dezelfde provincie?

12. Van welke vruchten wordt de drank gewürztraminer gemaakt?

13. Wat is osteoporose: botontkalking, geheugenverlies of suikerziekte?

14. Hoe heet de Amerikaanse schaaklegende die in januari 2008 in IJsland overleed? Hij was wereldkampioen van 1972 tot 1975.

15. Hoeveel krijg je als je de cijfers van 1 tot en met 5 bij elkaar optelt?

16. Welk woord lieten we weg in een reclameslogan van een Vlaams weekblad: '... lezen kan ernstige gevolgen hebben!'?

17. Welk Engels woord voor 'onopvallendheid' of 'heimelijkheid' is de bijnaam van de Amerikaanse supersonische B2-bommenwerper?

18. In welk Aziatisch land telde de yakuza in het begin van de jaren 60 ongeveer 180.000 misdadige leden?

19. Met welk toestel legde Igor Sikorsky de eerste geslaagde vlucht af in 1939?

20. Wat is het pseudoniem van de Britse zanger Gordon Sumner?

 **antwoorden**

11. Ja
    Minderhout is een deelgemeente van de Antwerpse gemeente Hoogstraten. Meerhout is een gemeente in de provincie Antwerpen, aan de Grote Nete en het Albertkanaal.

12. Van druiven
    Gewürztraminer is een zoete wijndruif. Ook de wijn die men ermee maakt, onder meer in de Franse regio Elzas, heet gewürztraminer.

13. Botontkalking

14. Bobby Fisher
    Hij werd in 1972 wereldkampioen door de Rus Boris Spasski te verslaan. Hij weigerde zijn titel te verdedigen tegen de Rus Anatoli Karpov en verdween twintig jaar van het officiële schaaktoneel.

15. Vijftien
    1 + 2 + 3 + 4 + 5 = 15.

16. Humo

17. Stealth

18. In Japan
    De yakuza is een criminele organisatie die vergelijkbaar is met de maffia in Italië.

19. Met een helikopter
    Het bedrijf Sikorsky is nog altijd een toonaangevende fabrikant van helikopters.

20. Sting

21. Wat is het voltooid deelwoord van 'druipen'?

22. Naar welk eiland werd de Franse keizer Napoleon I verbannen na zijn nederlaag in Waterloo?

23. Van welke plant, waarvan de vruchten geconsumeerd worden, zijn arabica, liberica en robusta variëteiten?

24. Welke vliegtuigconstructeur werd in 1970 gesticht als een consortium van Franse en West-Duitse bedrijven?

25. Welke Belgische zwemster behaalde in de jaren 90 vijf Europese titels in de schoolslag?

26. Aan welke oceaan ligt de Canadese provincie Nova Scotia?

27. Welk typisch gebak uit de streek van Geraardsbergen wordt gemaakt met gestremde melk en werd al op schilderijen van Bruegel afgebeeld?

28. Hoeveel graden bedraagt de som van de hoeken van een rechthoekige driehoek?

29. Welke nationaliteit heeft Crocodile Dundee, het hoofdpersonage uit de gelijknamige films?

30. Welke Dries opende in 1989 in de Nationalestraat in Antwerpen zijn eerste boetiek, Het Modepaleis?

antwoorden

21. **Gedropen**
De hoofdtijden van dit sterke werkwoord zijn 'druipen, droop, gedropen'.
22. **Naar Sint-Helena**
Naar het eiland Elba werd hij verbannen na zijn eerste troonsafstand in 1814.
23. **Van de koffieplant**
De koffieplant is inheems in tropische gebieden, vooral in Afrika. Robustakoffie levert de grootste opbrengsten, arabicakoffie heeft een mildere smaak.
24. **Airbus (Industries)**
Later sloten Spanje en Groot-Brittannië zich bij het consortium aan.
25. **Brigitte Becue**
26. **Aan de Atlantische Oceaan**
De hoofdstad van Nova Scotia is Halifax.
27. **Mattentaart**
28. **180 graden**
Dat geldt trouwens voor alle driehoeken.
29. **De Australische**
Tussen 1986 en 2001 werden drie 'Crocodile Dundee'-films gemaakt. De titelrol wordt in al die films gespeeld door Paul Hogan.
30. **Dries Van Noten**
Dries Van Noten is een Vlaamse modeontwerper. Later volgden nog winkels in wereldsteden als Parijs, Milaan, Tokio.

TABEL VAN MENDELEJEV

1	Waterstof	H	60	Neodymium	Nd
2	Helium	He	61	Promethium	Pm
3	Lithium	Li	62	Samarium	Sm
4	Beryllium	Be	63	Europium	Eu
5	Boor	B	64	Gadolinium	Gd
6	Koolstof	C	65	Terbium	Tb
7	Stikstof	N	66	Dysprosium	Dy
8	Zuurstof	O	67	Holmium	Ho
9	Fluor	F	68	Erbium	Er
10	Neon	Ne	69	Thulium	Tm
11	Natrium	Na	70	Ytterbium	Yb
12	Magnesium	Mg	71	Lutetium	Lu
13	Aluminium	Al	72	Hafnium	Hf
14	Silicium	Si	73	Tantalium	Ta
15	Fosfor	P	74	Wolfraam	W
16	Zwavel	S	75	Renium	Re
17	Chloor	Cl	76	Osmium	Os
18	Argon	Ar	77	Iridium	Ir
19	Kalium	K	78	Platina	Pt
20	Calcium	Ca	79	Goud	Au
21	Scandium	Sc	80	Kwik	Hg
22	Titanium	Ti	81	Thallium	Tl
23	Vanadium	V	82	Lood	Pb
24	Chroom	Cr	83	Bismut	Bi
25	Mangaan	Mn	84	Polonium	Po
26	IJzer	Fe	85	Astatium	At
27	Kobalt	Co	86	Radon	Rn
28	Nikkel	Ni	87	Francium	Fr
29	Koper	Cu	88	Radium	Ra
30	Zink	Zn	89	Actinium	Ac
31	Gallium	Ga	90	Thorium	Th
32	Germanium	Ge	91	Protactinium	Pa
33	Arsenicum	As	92	Uranium	U
34	Seleen	Se	93	Neptunium	Np
35	Broom	Br	94	Plutonium	Pu
36	Krypton	Kr	95	Americium	Am
37	Rubidium	Rb	96	Curium	Cm
38	Strontium	Sr	97	Berkelium	Bk
39	Yttrium	Y	98	Californium	Cf
40	Zirkonium	Zr	99	Einsteinium	Es
41	Niobium	Nb	100	Fermium	Fm
42	Molybdeen	Mo	101	Mendelevium	Md
43	Technetium	Tc	102	Nobelium	No
44	Ruthenium	Ru	103	Lawrencium	Lr
45	Rhodium	Rh	104	Rutherfordium	Rf
46	Palladium	Pd	105	Dubnium	Db
47	Zilver	Ag	106	Seaborgium	Sg
48	Cadmium	Cd	107	Bohrium	Bh
49	Indium	In	108	Hassium	Hs
50	Tin	Sn	109	Meitnerium	Mt
51	Antimonium	Sb	110	Darmstadtium	Ds
52	Telluur	Te	111	Roentgenium	Rg
53	Jodium	I	112	Ununbium	Uub
54	Xenon	Xe	113	Ununtrium	Uut
55	Cesium	Cs	114	Ununquadium	Uuq
56	Barium	Ba	115	Ununpentium	Uup
57	Lanthanium	La	116	Ununhexium	Uuh
58	Cerium	Ce	117	Ununseptium	Uus
59	Praseodymium	Pr	118	Ununoctium	Uuo

1. Onder welke schuilnaam is de Vlaamse illusionist Jan Beddegenoots beter bekend?

2. Van welk Engels woord is de letter 'p' de afkorting in 'gps', de naam van een satellietnavigatiesysteem?

3. Welke Belgische groep bracht op 19 april 2008 de cd 'Vantage Point' uit, waarop de single 'The Architect' stond?

4. In welk land wordt de krant 'Ottawa Sun' uitgegeven?

5. Hoe noemen biologen het sperma van vissen: 'hom', 'hum' of 'ham'?

6. Welke Amerikaanse acteur, die hoofdrollen speelde in 'Ben-Hur' en 'The Ten Commandments', overleed op 4 april 2008 op 84-jarige leeftijd?

7. Onder welke Nederlandse naam is het sterrenbeeld Ursa Minor beter bekend?

8. Welk spel heeft een spelbord met onder meer zestien vakjes met de tekst '2 x woordwaarde'?

9. Welk van deze vier instrumenten is geen houtblaasinstrument: de klarinet, de fagot, de tuba of de hobo?

10. In welke stripreeks verscheen het album 'De jobhopper', waarin Markske een baan zoekt?

antwoorden

1. Jan Bardi
   Jan Bardi studeerde voor ingenieur. Hij beweert dat zijn acts steunen op toegepaste psychologie.
2. Van 'positioning'
   'Gps' is de afkorting van 'global positioning system'. Het systeem werd in de jaren 70 ontwikkeld door het Amerikaanse ministerie van Defensie.
3. dEUS
4. In Canada
   Ottawa is de hoofdstad van Canada.
5. Hom
   Het wordt geproduceerd in de homklieren in de buik.
6. Charlton Heston
7. Kleine Beer
   Kleine Beer is een sterrenbeeld aan de noordelijke hemel.
8. Scrabble
9. De tuba
   De tuba is een koperblaasinstrument.
10. In 'F.C. De Kampioenen'

11. Welke cocktail van tomatensap, vodka en worcestersaus dankt zijn naam aan een Engelse vorstin?

12. Wat zijn PASCAL, COBOL en BASIC?

13. Welke Belg won in de periode 1969-1975 vijf keer de wielerklassieker Luik-Bastenaken-Luik?

14. De Oranjerivier vormt een deel van de grens tussen Namibië en een ander Afrikaans land. Welk land is dat?

15. Is de bovist een paddenstoel, een kwal of een groente?

16. Wie creëerde de romanfiguur Phileas Fogg, het hoofdpersonage uit 'Reis rond de wereld in 80 dagen'?

17. Hoe heet het centrum in Blankenberge waar je behalve een zeehondenkliniek ook een zeepaardjesverblijf kan bezoeken?

18. Hoe heet in de rooms-katholieke kerk de houder waarin een geconsacreerde hostie achter glas kan worden uitgestald?

19. In welke Amerikaanse stad werd president John F. Kennedy vermoord op 22 november 1963?

20. Welke van de vier figuren in een kaartspel wordt door Franstaligen 'trèfle' genoemd?

antwoorden

11. Bloody Mary
    Spreek uit 'woestesaus'.
12. Computertalen; programmeertalen
13. Eddy Merckx
    Meer bepaald in 1969, 1971, 1972, 1973 en 1975.
14. Zuid-Afrika
15. Een paddenstoel
    Het paddenstoelengeslacht 'Bovista' kent 25 soorten, waarvan de aardappelbovist en de reuzenbovist de bekendste zijn.
16. Jules Verne
17. Sea Life (Center); Sea Life Marine Park
18. De monstrans
19. In Dallas
    De commissie-Warren, die met het onderzoek naar de moord was belast, wees Lee Harvey Oswald aan als de dader.
20. Klaveren
    Franstaligen noemen schoppen 'pique', ruiten 'carreau' en harten 'coeur'.

21. Hoeveel kilometer leg je af op één minuut als je 90 kilometer per uur rijdt?

22. Is ossobuco in Italië een voorgerecht, een hoofdgerecht of een dessert?

23. Van welke belangrijke Europese luchthaven liggen de startbanen bijna vier meter onder de zeespiegel?

24. Geef een synoniem van 'placenta' of 'nageboorte'.

25. Hoe heet de prinses die de geliefde is van animatiefiguur Shrek: Ariël, Fiona of Elizabeth?

26. In welke rivier mondt de Durme nabij Temse uit?

27. Welke Braziliaanse tennisser met initialen G.K. was in 2000 en 2001 drieënveertig weken lang de nummer 1 op de wereldranglijst?

28. Hoe noemt men in de handel het verschil tussen bruto- en nettogewicht?

29. Wie is de zanger, leider en gitarist van de popgroep Dire Straits?

30. Welke 2800 meter lange hangbrug verbindt San Francisco met het noordelijker gelegen Marin County?

antwoorden

21. 1,5 kilometer
    1 minuut is een zestigste van een uur, een zestigste van 90 is 1,5.
22. Een hoofdgerecht
    Ossobuco is kalfsschenkel gestoofd met tomaten en eventueel andere groenten en kruiden.
23. Van Schiphol
    Schiphol is de luchthaven van Amsterdam.
24. Moederkoek
    Het is het orgaan dat via de navelstreng de verbinding vormt tussen moeder en foetus in de baarmoeder en dat na de bevalling wordt uitgestoten.
25. Fiona
26. In de Schelde
27. Gustavo Kuerten
    Gustavo Kuerten won onder meer drie keer Roland Garros.
28. Tarra
    Het woord is afgeleid van het Arabische 'tarih'. Dat betekent: 'wat is weggeworpen'.
29. Mark Knopfler
    In 1977 richtte Mark Knopfler met zijn broer David de groep Dire Straits op; de hit 'Sultans of swing' werd hun grote doorbraak.
30. De Golden Gate Bridge

EK EN WK VOETBAL

EUROPEES KAMPIOEN VOETBAL

2008	SPANJE
2004	GRIEKENLAND
2000	FRANKRIJK
1996	DUITSLAND
1992	DENEMARKEN
1988	NEDERLAND
1984	FRANKRIJK
1980	WEST-DUITSLAND
1976	TSJECHO-SLOWAKIJE
1972	WEST-DUITSLAND
1968	ITALIË
1964	SPANJE
1960	SOVJET-UNIE

WERELDKAMPIOEN VOETBAL

2006	ITALIË
2002	BRAZILIË
1998	FRANKRIJK
1994	BRAZILIË
1990	WEST-DUITSLAND
1986	ARGENTINIË
1982	ITALIË
1978	ARGENTINIË
1974	WEST-DUITSLAND
1970	BRAZILIË
1966	ENGELAND
1962	BRAZILIË
1958	BRAZILIË
1954	WEST-DUITSLAND
1950	URUGUAY
1938	ITALIË
1934	ITALIË
1930	URUGUAY

1. Welk dier is het symbool van het Wereldnatuurfonds?

2. Hoeveel ringen vormen het embleem van het automerk Audi?

3. Welke Alicia bracht op 25 maart 2008 in het Sportpaleis haar hits 'No One', 'If I Ain't Got You' en 'Fallin''?

4. Wat is de naam van zowel een 17de-eeuwse stadswijk van Amsterdam als een rivier in Israël?

5. In welke sport blonk politica Caroline Gennez als kind uit, tot een hernia op haar veertiende hieraan een einde maakte?

6. Is de kleine pimpernel een dier of een plant?

7. In welke film van Alfred Hitchcock wordt kantoorbediende Marion Crane in een douche vermoord door psychopaat Norman Bates?

8. Houden de meeste beroepsviolisten de strijkstok met hun linker- of met hun rechterhand vast?

9. Van welk woord is de letter 'A' de afkorting in 'S.M.A.K.', de naam van een Gents museum?

10. Welk bier van brouwerij De Kluis in Hoegaarden heeft een etikot waarop Adam en Eva staan afgebeeld?

antwoorden

1. De (reuzen)panda; bamboebeer
   De reuzenpanda is een bedreigde diersoort. Hij wordt tot 1,50 meter lang en weegt 120 tot 150 kg.
2. Vier
3. Alicia Keys
4. Jordaan
5. Tennis
   Gennez tenniste vanaf de leeftijd van vijf jaar.
6. Een plant
   De kleine pimpernel is een kruid dat tot de rozenfamilie behoort.
7. In 'Psycho'
8. Met hun rechterhand
   De viool zelf rust op hun linkerschouder en linkerhand.
9. Van 'Actuele'
   'S.M.A.K.' is de afkorting van 'Stedelijk Museum voor Actuele Kunst'.
10. Verboden Vrucht
    Het etiket is gebaseerd op een schilderij van Peter Paul Rubens.

11. In welke Eén-soap wilde Femke begin april 2008 Eddy buitenkrijgen en nam Cois het aanbod van Mo aan?

12. Welke van de Belgische provinciehoofdsteden ligt het dichtst bij Bouillon?

13. Welke Nederlandse doelman won zowel met Ajax als met Manchester United de UEFA Champions League?

14. Wie schreef het scenario van het stripverhaal 'De hittentitten'?

15. Van welk orgaan in ons lichaam maakt het cerebellum deel uit?

16. Hoe heet de Britse romanschrijfster die onder andere 'Pride and Prejudice' en 'Emma' schreef?

17. Welk hemellichaam staat in het midden bij een maansverduistering: de aarde, de zon of de maan?

18. Van welke munteenheid wordt de naam in het internationale betalingsverkeer afgekort tot 'AUD'?

19. Naar welke Rudolf werden scholen genoemd die zijn antroposofische principes toepassen bij het opvoeden van kinderen?

20. Onder welke naam ging de oorlog tussen Engeland en Frankrijk die duurde van 1337 tot 1453 de geschiedenis in?

antwoorden

11. In 'Thuis'
12. Aarlen; Arlon
13. Edwin van der Sar
    Met Ajax won hij die Europese competitie in 1995, met Manchester in 2008.
14. Urbanus; Urbain Servranckx
    'De hittentitten' is een verhaal uit de Urbanus-stripserie. Willy Linthout is de tekenaar van de serie, Urbanus schrijft de scenario's.
15. Van de hersenen
    'Cerebellum' is de wetenschappelijke naam voor 'kleine hersenen'.
16. Jane Austen
    Jane Austen leefde van 1775 tot 1817.
17. De aarde
    Bij een maansverduistering staat de maan in de schaduw van de aarde. Zonnestralen kunnen dan de maan niet bereiken omdat de aarde in de weg staat.
18. Van de Australische dollar
19. Naar Rudolf Steiner
    Steiner was een Oostenrijkse filosoof en pedagoog die leefde van 1861 tot 1925. Hij ontwikkelde de antroposofie, een wereldbeschouwing waarbij de mens in samenhang met zijn kosmische omgeving wordt gezien.
20. Honderdjarige Oorlog
    Hij duurde dus langer dan 100 jaar, weliswaar met enkele onderbrekingen. Aanleiding was de aanspraak op de Franse troon door de Engelse koning Edward III.

21. Welke Eén-presentatrice startte in 2007 samen met haar schoonzus de kledingzaak CLOSE*UP in Sint-Denijs-Westrem?

22. Welke vogel staat afgebeeld op de Duitse munten van 1 en 2 euro die begin 2002 in gebruik werden genomen?

23. Welke Australische hardrockgroep had eind jaren 70 hits met 'Whole Lotta Rosie' en 'Highway to Hell'?

24. Van welke Peruviaanse stad wordt de naam in het luchtvaartjargon verkort tot 'LIM'?

25. Welke Belg won het WK veldrijden voor beloften in 2008?

26. Hoeveel poten heeft een regenwulp?

27. In welk land werd Borat Sagdiyev geboren, de fictieve televisiejournalist die in de film 'Borat' gespeeld wordt door Sacha Baron Cohen?

28. Hoeveel zijden heeft een hexagoon?

29. Is 'hummus' dadelbrood of kikkererwtenpuree?

30. Hoe heet de tultunnel onder de Schelde die in juli 1991 geopend werd?

 # antwoorden

21. Katja Retsin
22. De adelaar; arend
    De adelaar is het traditionele symbool van de Duitse soevereiniteit.
23. AC/DC
    'AC/DC' is de afkorting van 'alternating current /direct current',
    Engels voor 'wisselstroom/gelijkstroom'.
24. Van Lima
25. Niels Albert
    Dat WK werd verreden in het Italiaanse Treviso.
26. Twee
    Een regenwulp is een vogel.
27. In Kazachstan
    Cohen zelf is een Britse komiek.
28. Zes
    Een hexagoon of zeshoek is een figuur met zes hoeken en zes zijden.
29. Kikkererwtenpuree
    Hummus is een puree van kikkererwten, meestal gebruikt als dipsaus of bij pitabrood.
    Niet te verwarren met humus, teelaarde.
30. Liefkenshoektunnel

PRESIDENTEN VAN DE VERENIGDE STATEN

		VAN	TOT
1	George Washington	1789	1797
2	John Adams	1797	1801
3	Thomas Jefferson	1801	1809
4	James Madison	1809	1817
5	James Monroe	1817	1825
6	John Quincy Adams	1825	1829
7	Andrew Jackson	1829	1837
8	Martin Van Buren	1837	1841
9	William Henry Harrison	1841	1841
10	John Tyler	1841	1845
11	James K. Polk	1845	1849
12	Zachary Taylor	1849	1850
13	Millard Fillmore	1850	1853
14	Franklin Pierce	1853	1857
15	James Buchanan	1857	1861
16	Abraham Lincoln	1861	1865
17	Andrew Johnson	1865	1869
18	Ulysses S. Grant	1869	1877
19	Rutherford B. Hayes	1877	1881
20	James A. Garfield	1881	1881
21	Chester A. Arthur	1881	1885
22	Grover Cleveland	1885	1889
23	Benjamin Harrison	1889	1893
24	Grover Cleveland	1893	1897
25	William McKinley	1897	1901
26	Theodore Roosevelt	1901	1909
27	William Howard Taft	1909	1913
28	Woodrow Wilson	1913	1921
29	Warren G. Harding	1921	1923
30	Calvin Coolidge	1923	1929
31	Herbert Hoover	1929	1933
32	Franklin D. Roosevelt	1933	1945
33	Harry S. Truman	1945	1953
34	Dwight D. Eisenhower	1953	1961
35	John F. Kennedy	1961	1963
36	Lyndon B. Johnson	1963	1969
37	Richard Nixon	1969	1974
38	Gerald Ford	1974	1977
39	Jimmy Carter	1977	1981
40	Ronald Reagan	1981	1989
41	George H. W. Bush	1989	1993
42	Bill Clinton	1993	2001
43	George W. Bush	2001	2009
44	Barack Obama	2009	-

1. Welke 63-jarige Antwerpse beeldende kunstenaar trad op 18 oktober 2003 in het huwelijk met de 29-jarige Eveline Hoorens?

2. De Spaanse specialiteit chorizo, is dat ham, worst of vleespastei?

3. Welke Vlaamse stad bezit, net zoals Brussel, een Manneken-Pis?

4. Zijn zeekomkommers dieren of planten?

5. Welke militaire organisatie heet in het Frans 'OTAN'?

6. Welke Australische acteur is de tegenspeler van Danny Glover in de 'Lethal Weapon'-films?

7. Hoe noemt men de uit Japan afkomstige, kunstmatig klein gehouden dwergboompjes?

8. Welke pijnstiller bracht het Duitse bedrijf Bayer in 1899 op de markt?

9. Hoe heet het hondje van stripfiguur Obelix?

10. Wie presenteerde op 7 januari 2008 de eerste aflevering van het Eén-spelprogramma 'Eeuwige roem'?

antwoorden

1. Panamarenko
   Zijn echte naam is Henri Van Herwegen. De Brakelse burgemeester De Croo heeft het paar in de echt verbonden.

2. Worst
   Een met knoflook en rode peper gekruide harde worst.

3. Geraardsbergen
   Brussel en Geraardsbergen blijven het oneens over wie nu het oudste beeldje bezit.

4. Dieren
   Zeekomkommers behoren tot de klasse van stekelhuidige dieren en leven voornamelijk in tropische zeeën. Hun vorm doet aan een komkommer denken.

5. De NAVO; NATO
   'OTAN' is voluit 'Organisation du Traité de l'Atlantique Nord'. 'NAVO' betekent 'Noord-Atlantische Verdragsorganisatie'.

6. Mel Gibson

7. Bonsai

8. Aspirine
   Aspirine is een koortswerend en pijnstillend middel met acetylsalicylzuur als werkzaam bestanddeel.

9. Idefix

10. Bruno Wyndaele
    In 'Eeuwige roem' werd onderzocht over welke fysieke en mentale kwaliteiten een topsporter moet beschikken om echt uit te blinken.

11. Welke graaf werd samen met graaf Egmont in 1568 op de Grote Markt in Brussel onthoofd?

12. Hoe noemt men opdringerige persfotografen, naar een figuur uit de film 'La Dolce Vita' van Federico Fellini?

13. Van welk land is Karinthië een deelstaat?

14. Hoe heet het deel van ons oog dat de pupil omsluit: 'regenboogvlies' of 'netvlies'?

15. In welke sportdiscipline werden de Belgen Karel Sijs, Gustave Roth en Cyrille Delannoit Europees kampioen?

16. Is de Franse Rosé d'Anjou een bordeauxwijn, een bourgognewijn of een loirewijn?

17. In welke discipline won Tia Hellebaut op 7 maart 2008 op het WK indooratletiek in Valencia een gouden medaille?

18. Prins Laurent werd in december 2005 vader van tweelingzonen. Nicolas is de naam van de ene, hoe heet de andere?

19. In welk gezelschapsspel kan de operatie van een zwevende rib of een gebroken hart honderden euro's opbrengen?

20. Welke zanger had in 1961 én in 1976 een nummer 1-hit in Vlaanderen met het nummer 'Let's Twist Again'?

antwoorden

11. Graaf Filips van Horne; Hoorn
    Egmont en Horne werden beschuldigd van hoogverraad. Zij werden op bevel van de Spaanse landvoogd Alva onthoofd.

12. Paparazzi; paparazzo
    Die figuur heette Paparazzo.

13. Van Oostenrijk
    Het is de aan Slovenië en Italië grenzende deelstaat, met Klagenfurt als hoofdstad.

14. Regenboogvlies
    De pupil is de opening in het regenboogvlies. Het netvlies ligt achteraan in het oog; hierop wordt het beeld van de waargenomen voorwerpen gevormd.

15. In het boksen
    Sijs werd Europees kampioen bij de zwaargewichten in 1943, Roth bij de halfzwaargewichten in 1936 en Delannoit bij de middengewichten in 1948.

16. Een loirewijn
    Anjou is een wijngebied in de omgeving van de Franse stad Angers aan de Loire.

17. In de vijfkamp; pentatlon
    Zij totaliseerde 4867 punten. De Britse Kelly Sotherton eindigde tweede met 4852 punten.

18. Aymeric (August Marie)

19. In Dokter Bibber

20. Chubby Checker

21. In welk land bevinden zich de marmergroeven van Cararra?

22. Welk Belgisch chocolademerk, dat in 1883 het levenslicht zag, heeft op zijn website een afbeelding van een olifant staan?

23. In welke Amerikaanse staat ligt de gokstad Las Vegas?

24. In welke thriller van cineast Jan Verheyen uit 2007 verdwijnt het zestienjarige meisje Evi?

25. Welke kleur hebben de kroonblaadjes van het bosvergeet-mij-nietje: blauw, rood of geel?

26. De verhouding tussen lengte en gewicht van een persoon wordt vaak aangeduid met de afkorting 'BMI'. Van wat is 'BMI' de afkorting?

27. Welke Portugees nam in september 2007 ontslag als trainer van de Londense voetbalclub Chelsea?

28. Welke Poolse ex-president hervatte op 2 april 1996 zijn werk als elektricien op de scheepswerf van Gdansk en haalde daarmee de kranten?

29. Hoeveel muntstukken krijg je minstens terug als je een rekening van 49 euro en 67 cent betaalt met een biljet van 50 euro?

30. Op welk eiland in de Caraïben werd reggaezanger Bob Marley geboren?

ANTWOORDEN

21. In Italië
    Het witte Cararramarmer wordt in de Apuaanse Alpen in Toscane gewonnen.
22. Côte d'Or
23. In Nevada
    Nevada ligt ten oosten van Californië.
24. In 'Vermist'
25. Blauw
26. Van 'Body Mass Index'
    Je berekent je BMI door je gewicht in kilogram te delen door het kwadraat van je lengte in meter. Een BMI tussen 19 en 24 wordt als normaal beschouwd.
27. José Mourinho
    De Israëliër Avram Grant volgde Mourinho op als trainer van Chelsea. Mourinho zelf nam een sabbatjaar vooraleer hij bij Inter Milaan aan de slag ging.
28. Lech Walesa
    Hij vertelde dat hij het geld nodig had.
29. Vier
    Je krjgt 33 cent terug. Dat zijn minimaal vier muntjes: een stuk van 20 cent, een stuk van 10 cent, een stuk van 2 cent en een stuk van 1 cent.
30. Op Jamaica

CHAMPAGNEFLESSEN

Quart	20 cl	
Demie	37,5 cl	
Bouteille	75 cl	
Magnum	1,5 l	(2 bouteilles)
Jéroboam	3 l	(4 bouteilles)
Réhoboam	4,5 l	(6 bouteilles)
Mathusalem	6 l	(8 bouteilles)
Salmanazar	9 l	(12 bouteilles)
Balthazar	12 l	(16 bouteilles)
Nabuchodonosor	15 l	(20 bouteilles)
Salomon	18 l	(24 bouteilles)
Souverain	26,25 l	(35 bouteilles)
Primat	27 l	(36 bouteilles)
Melchizédech	30 l	(40 bouteilles)

1. Welk Zweeds automerk heeft een naam die betekent 'Ik rol'?

2. Welke Kylie ontwierp voor modeketen H&M een collectie badpakken?

3. Welk A-nummer heeft de autoweg van waarop je de Willebroekse discotheek 'Carré' ziet?

4. Hoe noemen we met een woord van vier letters 'een handschoen die vier vingers samen en de duim los daarvan bedekt'?

5. Tot welk Europees land behoort het vulkanische eiland Madeira?

6. Welke vogel bestaat echt: de pauwkalkoen of de kalkoenpauw?

7. In welke film uit 1992 met Whitney Houston en Kevin Costner wordt een zangeres verliefd op haar lijfwacht?

8. Welke militaire rang staat in de landcomponent van de Belgische strijdkrachten tussen majoor en kolonel?

9. Bij de Egyptische piramiden in Gizeh staat een beeld van een leeuw met een mensenhoofd. Hoe noemt men dat beeld?

10. Geef de naam van de Engelsman die op 5 juli 1841 in samenwerking met de Britse spoorwegen een betaald uitstapje van 11 mijl organiseerde voor een gezelschap van geheelonthouders en die hierdoor geïnspireerd een reisbureau oprichtte dat zijn naam droeg.

antwoorden

1. Volvo
   Het Latijnse werkwoord 'volvere' betekent onder andere 'rollen'.
2. Kylie Minogue
3. A12
4. Want
5. Tot Portugal
6. De pauwkalkoen
   De pauwkalkoen leeft in Centraal-Amerika en is kleiner dan de kalkoen. Een andere naam voor de pauwkalkoen is 'honduraskalkoen'.
7. In 'The Bodyguard'
8. Luitenant-kolonel
9. Een sfinx
   Beelden van een sfinx waren bedoeld als wachters, ze moesten de vijand afschrikken.
10. Thomas Cook
    Cook is ook de uitvinder van de travellercheques.

11. In welke vechtsport werd Dirk Van Tichelt op 12 april 2008 Europees kampioen?

12. In welk werelddeel wonen de meeste Hottentotten?

13. Van welke spier in het menselijk lichaam is de rechterboezem een deel?

14. Welke hit van Sinéad O'Connor begint als volgt: 'It's been seven hours and fifteen days, since you took your love away'?

15. Welke Lien won Humo's Pop Poll 2008 in de categorie 'Met wie wil u graag een avondje stappen?'?

16. Wie speelt de rol van John Rambo in de vier 'Rambo'-films die in de periode van 1982 tot 2008 bij ons werden uitgebracht?

17. Welk land is geen lid van de OPEC, de organisatie van petroleumexporterende landen: Jordanië, Koeweit of Qatar?

18. Hoe heet het personage in de strips van Robert Kane dat zich verkleedt als Batman om het kwade te bestrijden?

19. Van welke Belgische warenhuisketen is Collivery een service die producten tot bij de klant brengt?

20. Welke West-Vlaamse stad kan je onder andere via de Ezelpoort, de Smedenpoort of de Kruispoort binnenrijden?

antwoorden

11. In het judo
12. In Afrika
    Hottentotten zijn veetelers die leven in Zuid-Afrika. De naam werd door de Nederlandse zeevaarders gegeven aan het volk dat eigenlijk 'Khoi-Khoin' heette.
13. Van het hart
    De hartspier heeft twee boezems en twee kamers.
14. Nothing Compares 2 U
    'Nothing Compares 2 U' werd door Prince oorspronkelijk geschreven voor de band The Family.
15. Lien Van de Kelder
    Actrice en presentatrice Lien Van de Kelder won ook in de categorie 'Wie zou u eens uit de kleren willen zien gaan?'.
16. Sylvester Stallone
17. Jordanië
18. Bruce Wayne
19. Van Colruyt
20. Brugge
    Slechts vier van de oorspronkelijke Brugse poorten bestaan nog: de Ezelpoort, de Smedenpoort, de Kruispoort en de Gentpoort. De Katelijnepoort en de Dampoort werden gesloopt.

21. Tot welke plantenfamilie behoren de populieren: tot de wilgenfamilie of tot de beukenfamilie?

22. In welk gezelschapsspel kunnen blauwe en gele legers elkaar bekampen om bijvoorbeeld Oost-Europa of Siberië te veroveren?

23. Welke bij ons als groente bekende plant, die bloeit als een distel en waarvan de blaadjes worden gegeten, is verwerkt in het Italiaanse aperitief Cynar?

24. Welke koning der Belgen was de oudste kleinzoon van AlbertI?

25. Wie maakt geen deel uit van de 'Teenage Mutant Ninja Turtles' uit de gelijknamige animatiereeks: Donatello, Michelangelo of Botticelli?

26. Als je in een Frans restaurant 'rognons de veau' geserveerd krijgt, welk orgaan ga je dan eten?

27. Bij welke Nederlandse club voetbalde de Braziliaan Romario van 1988 tot 1993?

28. Welke Belg maakte in 2002 een ruimtereis in een Sojoezruimteschip?

29. Met welke Engelse term duidt men de loper aan waarover mannequins bij modeshows defileren?

30. In welke Vlaamse provincie werden de zangeressen Kate Ryan en Lisa del Bo geboren?

antwoorden

21. Tot de wilgenfamilie
22. In Risk
23. De artisjok
   De wetenschappelijke naam van de artisjok is Cynara scolymus.
24. Boudewijn I
   Boudewijn was de zoon van Leopold III, zelf de zoon van Albert I.
25. Botticelli
   De 'Teenage Mutant Ninja Turtles' hebben alle vier de naam van een renaissancekunstenaar: Donatello, Leonardo, Michelangelo en Raphael.
26. Niertjes
   Rognons de veau zijn kalfsniertjes.
27. Bij PSV Eindhoven
   In 1993 werd hij naar Barcelona getransfereerd.
28. Frank De Winne
   Hij vloog op 30 oktober 2002 naar het internationale ruimtestation ISS en keerde op 10 november terug.
29. Met 'catwalk'
   De catwalk was oorspronkelijk een smal gangpad langs een machine, tegenwoordig wordt de term vaker gebruikt in de modewereld.
30. In Limburg
   Kate Ryan werd in Tessenderlo geboren als Katrien Verbeeck. Lisa Del Bo werd in Bilzen geboren als Reinhilde Goossens.

KONINGEN DER BELGEN

Leopold I	van 21 juli 1831 tot 10 december 1865
Leopold II	van 17 december 1865 tot 17 december 1909
Albert I	van 23 december 1909 tot 17 februari 1934
Leopold III	van 23 februari 1934 tot 16 juli 1951

(Prins-regent Karel, regent van 20 september 1944 tot 20 juli 1950)

Boudewijn I	van 17 juli 1951 tot 31 juli 1993
Albert II	sinds 9 augustus 1993

1. Welke kleur heeft de dop van een fles Spa Barisart?

2. Wie was Miss België 1988 en Mrs. Globe 2007?

3. Wat was de voornaam van barones Manteau, de uitgeefster die op 21 april 2008 overleed?

4. Liggen de steden Pamplona en Bilbao in het noorden of in het zuiden van Spanje?

5. Welk knolgewas is het hoofdingrediënt van het gerecht rösti?

6. Welk filmpersonage is bekend om de citaten 'I'll be back' en 'Hasta la vista, baby'?

7. Wat brengt de Duitse speelgoedfabrikant Märklin op de markt: bordspelen, modeltreintjes of huilende poppen?

8. Wat was de eerste voornaam van de Italiaanse dictator Mussolini?

9. Welke Eva zong bij de groepen Kadril en Oblomov en begon dan een solocarrière?

10. Hoe heet de internetdienst die Belgische particulieren de mogelijkheid biedt om hun belastingaangifte elektronisch in te dienen?

 ANTWOORDEN

1. Rood
   Spa Barisart is een bruisend water, Spa rood dus.
2. Daisy Van Cauwenbergh
   Bij de Mrs. Globe-verkiezing wordt de mooiste gehuwde vrouw verkozen.
3. Angèle
4. In het noorden
   Ze liggen allebei in het Baskenland.
5. De aardappel
   Rösti is een Zwitsers gerecht dat bestaat uit gesnipperde aardappelen.
6. Terminator
   Gespeeld door Arnold Schwarzenegger.
7. Modeltreintjes
   In 1891 stelde het bedrijf Märklin zijn eerste modelspoorweg voor, met een opwindbare locomotief.
8. Benito
   Voluit heette hij 'Benito Amilcare Andrea Mussolini'. Hij leefde van 1883 tot 1945.
9. Eva De Roovere
   In 2006 bracht ze het album 'De jager' uit, in 2008 volgde de cd 'Over & Weer'.
10. Tax-on-web

11. Welke edelsteen heeft geen blauwe kleur: turkoois, saffier of smaragd?

12. Welke Vlaamse choreografe creëerde de dansvoorstelling 'Rosas danst Rosas'?

13. Welke katachtige kan je in het Zuid-Amerikaanse regenwoud ontmoeten: de luipaard of de jaguar?

14. Welke hand gebruikt een typiste om op een azertyklavier het woord 'graf' te typen?

15. Als je landt op Phnom Penh International Airport, in welk land ben je dan?

16. Is de Amerikaanse gallon, een inhoudsmaat, kleiner of groter dan 1 liter?

17. Wie verbeterde op de Olympische Spelen van Atlanta in 1996 het wereldrecord op de 100 meter schoolslag?

18. Wat is de som van de cijfers op een digitale klok om tien voor tien 's ochtends?

19. Welk eiland werd genoemd naar Abel Tasman, de Nederlandse ontdekker ervan?

20. Hoe heet het paard van stripheld Lucky Luke?

 # antwoorden

11. Smaragd
   Een smaragd is groen.
12. Anne Teresa De Keersmaeker
13. De jaguar
   De luipaard of panter komt voor in Afrika en Azië.
14. De linkerhand
   De vier letters staan immers links op het toetsenbord.
15. In Cambodja
   Phnom Penh is de hoofdstad van Cambodja.
16. Groter
   Een Amerikaanse gallon is 3,7854 liter. In het Verenigd Koninkrijk is een gallon 4,546 liter.
17. Fred Deburghgraeve
   Hij bracht het wereldrecord toen op 1 minuut en 60 honderdste seconde.
18. Veertien
   Op de digitale klok staat dan '09:50'.
19. Tasmanië
   Het eiland, dat ten oosten van Australië ligt, werd op 24 november 1642 ontdekt door Abel Tasman. Ter ere van zijn opdrachtgever, gouverneur-generaal Anthony van Diemen, werd het aanvankelijk 'Van Diemensland' genoemd.
20. Jolly Jumper

21 Welke Jan trok voor het Canvas-programma 'De weg naar Mekka' van Spanje over onder andere Jordanië en Syrië naar Saoedi-Arabië?

22. Welk dierenpark ligt aan de Leuvensesteenweg in Mechelen?

23. Wat is de derde letter van het Griekse alfabet?

24. Welk feest wordt tijdens een schooljaar het eerst gevierd: Halloween, Pasen of Sinterklaas?

25. Welke kleine acteur speelt naast John Travolta een hoofdrol in de film 'Get Shorty'?

26. Welke stad ligt in Noord-Frankrijk: Tourcoing of Tournai?

27. Welke club won in 2008 de Belgische voetbalbeker door in de finale AA Gent te verslaan?

28. Hoe heet het islamitische heiligdom bij de Grote Moskee in Mekka waarin de beroemde Zwarte Steen bewaard wordt?

29. Welke op 25 december 2006 overleden zwarte zanger kreeg de bijnamen 'The Godfather of Soul' en 'Mister Dynamite'?

30. Welk synoniem voor 'afzondering' danken we aan het feit dat besmette personen vroeger veertig dagen lang werden geïsoleerd?

 **antwoorden**

21. Jan Leyers
22. Planckendael
Planckendael ligt in Muizen, een deelgemeente van Mechelen.
23. Gamma
De eerste drie letters van het Griekse alfabet zijn alfa, bèta en gamma.
24. Halloween
Halloween valt op 31 oktober, Sinterklaas in december en Pasen in het voorjaar.
25. Danny DeVito
Danny DeVito werd bekend dankzij zijn rol in de televisieserie 'Taxi'.
26. Tourcoing
De stad Tourcoing ligt in het Franse departement Nord. Tournai of Doornik ligt in de provincie Henegouwen.
27. (RSC) Anderlecht
Anderlecht versloeg AA Gent met 3-2.
28. De Kaäba
De aanbeden Zwarte Steen is waarschijnlijk een meteoorsteen.
29. James Brown
30. Quarantaine
De quarantaine van schepen uit het Oosten duurde als regel veertig dagen in Italiaanse havens.

JAMES BONDFILMS

1962	**Dr. No**	Sean Connery
1963	**From Russia with Love**	Sean Connery
1964	**Goldfinger**	Sean Connery
1965	**Thunderball**	Sean Connery
1967	**You Only Live Twice**	Sean Connery
1969	**On Her Majesty›s Secret Service**	George Lazenby
1971	**Diamonds Are Forever**	Sean Connery
1973	**Live and Let Die**	Roger Moore
1974	**The Man with the Golden Gun**	Roger Moore
1977	**The Spy Who Loved Me**	Roger Moore
1979	**Moonraker**	Roger Moore
1981	**For Your Eyes Only**	Roger Moore
1983	**Octopussy**	Roger Moore
1985	**A View to a Kill**	Roger Moore
1987	**The Living Daylights**	Timothy Dalton
1989	**Licence to Kill**	Timothy Dalton
1995	**GoldenEye**	Pierce Brosnan
1997	**Tomorrow Never Dies**	Pierce Brosnan
1999	**The World Is Not Enough**	Pierce Brosnan
2002	**Die Another Day**	Pierce Brosnan
2006	**Casino Royale**	Daniel Craig
2008	**Quantum of Solace**	Daniel Craig

'NIET-OFFICIËLE' JAMES BONDFILMS

1967	**Casino Royale**	David Niven
1983	**Never Say Never Again**	Sean Connery

1. Van welk edelmetaal wordt de naam ook gegeven aan een vijfentwintigjarig jubileum?

2. Welke kledingwinkelketen die in 1967 in Nederland werd opgericht, zette de afbeelding van een matroos op de startpagina van zijn website?

3. Wat wordt in de atletiek door de topatleten het verst geworpen of geslingerd: de speer of de kogel?

4. Hoe heet de zeestraat die het eiland Sicilië van het Italiaanse vasteland scheidt?

5. Is de anaconda een wurgslang of een gifslang?

6. Welke Belgisch-Braziliaanse brouwer produceert de merken Hoegaarden en Jupiler?

7. Wie regisseerde in 1941 de filmklassieker 'Citizen Kane'?

8. Welke Italiaanse kaas heb je zeker nodig om een pizza margherita te maken?

9. Met welke in 1967 opgerichte groep scoorde Phil Collins de hits 'Follow You, Follow Me' en 'Mama'?

10. Welk dier staat in het logo van pretpark Walibi Belgium?

antwoorden

1. Van zilver
   Samen met goud en platina wordt zilver tot de edele metalen gerekend.
2. Zeeman (textielSupers)
3. De speer
   Het wereldrecord speerwerpen werd in 1996 op 98,46 meter gebracht, het wereldrecord kogel- of hamerslingeren werd in 1986 op 86,74 meter gebracht.
4. De Straat van Messina
5. Een wurgslang
   De waterboa of anaconda leeft in het Amazonegebied en is met zijn maximale lengte van 9,6 meter de grootste slang.
6. InBev
7. Orson Welles
8. Mozzarella
   Voor het beleg van een pizza margherita heb je tomaten, mozzarella en basilicum nodig. De pizza heeft de kleuren van de Italiaanse vlag en werd genoemd naar Margaretha, de eega van koning Umberto I van Italië.
9. Met Genesis
   Collins werd aangetrokken als drummer, na het vertrek van Peter Gabriel werd hij ook de leadzanger.
10. Een kangoeroe; een wallaby

11. Welke mobilofoonoperator ontstond in 1993 als dochteronderneming van Belgacom?

12. In welke stad vindt men de luchthavens Tegel, Tempelhof en Schönefeld?

13. Bij welke in 1860 geboren Oostendse schilder zijn maskers een steeds terugkerend thema in zijn werk?

14. Van welk zintuigorgaan maakt het aambeeld, een heel klein beentje, deel uit?

15. Geef de familienaam van de twee dictatoriale presidenten van Haïti die bekend werden onder de bijnamen Papa Doc en Baby Doc.

16. Hoeveel olympische medailles won tennisster Els Callens?

17. Hoe heten de gerenoveerde kloosters en kastelen die deel uitmaken van een keten van staatshotels in Spanje?

18. Is de ceder een naaldboom of een loofboom?

19. In welke Limburgse stad werd op 13 mei 1983 het evenementencomplex Grenslandhallen officieel geopend?

20. Welke Franse wis- en natuurkundige gaf zijn naam aan de hoofdeenheid van druk?

antwoorden

11. **Proximus**
    Sinds december 1994 opereert Proximus als een naamloze vennootschap die voor 75 procent in handen is van Belgacom en voor 25 procent van Airtouch, een Amerikaans telecommunicatiebedrijf.

12. **In Berlijn**
    Tegel en Tempelhof liggen in voormalig West-Berlijn, Schönefeld in gewezen Oost-Berlijn.

13. **Bij James Ensor**

14. **Van het oor**
    Het aambeeld is een van de drie gehoorbeentjes. Trillingen van het trommelvlies worden via de gehoorbeentjes doorgegeven naar de hersenen.

15. **Duvalier**
    François Duvalier of Papa Doc was van 1957 tot 1971 staatshoofd van Haïti; zijn zoon Jean-Claude Duvalier of Baby Doc liet zich tot president voor het leven benoemen en was staatshoofd van 1971 tot 1986.

16. **Eén**
    Els Callens won brons in Sydney 2000, samen met Dominque Monami in het damesdubbel.

17. **Paradores**

18. **Een naaldboom**
    De ceder heeft bosjes blauwgroene naalden en tonvormige kegels.

19. **In Hasselt**

20. **Blaise Pascal**
    Deze Franse geleerde, die ook de eerste mechanische rekenmachine ontwierp, bestudeerde de atmosferische druk en formuleerde de Wet van Pascal.

21. Van welk Belgisch automerk, genoemd naar de godin van de wijsheid, werd in 1904 in Antwerpen de eerste wagen gemaakt?

22. In welke Vlaamse provinciehoofdstad speelt 'Aanrijding in Moscou', een romantische komedie uit 2008, zich voornamelijk af?

23. In welk uit Japan overgewaaid kaartspel voor kinderen tref je de figuurtjes Zubat, Poliwag en Ponyta aan?

24. In welke Belgische provincie ligt Rochefort, bekend om zijn abdij en zijn trappist?

25. Wie schreef het boek 'Pluk van de Petteflet'?

26. Wie schreef in 1791 de opera 'De Toverfluit'?

27. Welke toppoliticus van Open Vld is getrouwd met Mireille Schreurs?

28. Welke kleur hebben de bolletjes op de trui van de leider in het bergklassement van de Ronde van Frankrijk?

29. Wat is de voornaam van Fred Flintstones echtgenote?

30. Van welke munteenheid wordt de naam in het internationale betalingsverkeer afgekort tot 'JPY'?

14

antwoorden

21. Van Minerva
Ten gevolge van de economische recessie van de jaren 30 viel de productie stil.

22. In Gent
'Moscou' is de naam van de Gentse volkswijk rond het Ledebergplein.

23. In Pokémon
Pokémon was oorspronkelijk een computerspel. Zubat is een vleermuis, Poliwog een dikkopje en Ponyta een pony.

24. In Namen

25. Annie M.G. Schmidt
Pluk is een klein jongetje dat met een klein rood kraanwagentje door de stad rijdt. Hij beleeft er heel wat avonturen met Dollie de duif, Zaza de kakkerlak, de Stampertjes en anderen.

26. Wolfgang Amadeus Mozart

27. Karel De Gucht

28. Rood
De bolletjestrui is een witte trui met daarop rode bolletjes.

29. Wilma

30. Van de Japanse yen

HOOGSTE BERGEN

AZIË	**Mount Everest**	8850 m
AFRIKA	**Kilimanjaro**	5895 m
NOORD-AMERIKA	**Mount McKinley**	6194 m
ZUID-AMERIKA	**Aconcagua**	6959 m
ANTARCTICA	**Vinson Massif**	4892 m
EUROPA	**Elbroes**	5642 m

ACHTDUIZENDERS

		HOOGTE	EERSTE BEKLIMMING
1	**Mount Everest**	8850 m	1953
2	**K2**	8611 m	1954
3	**Kanchenjunga**	8586 m	1955
4	**Lhotse**	8501 m	1956
5	**Makalu**	8463 m	1955
6	**Cho Oyu**	8201 m	1954
7	**Dhaulagiri I**	8167 m	1960
8	**Manaslu I**	8163 m	1956
9	**Nanga Parbat**	8126 m	1953
10	**Annapurna I**	8091 m	1950
11	**Gasherbrum I**	8068 m	1958
12	**Broad Peak I**	8047 m	1957
13	**Gasherbrum II**	8035 m	1956
14	**Shishapangma**	8012 m	1964

1. Hoe heet de moskeetoren vanwaaruit vijfmaal per dag opgeroepen wordt tot het gebed?

2. In welk land werden de eerste motorfietsen van de merken Suzuki en Kawasaki gemaakt?

3. Welke superster liet zich eerst begeleiden door The Revolution en later door de New Power Generation?

4. Welke Tom won in 1996 de Omloop Het Volk en Gent-Wevelgem bij de eliterenners?

5. Tot welk land behoort het eiland Sumatra?

6. Welke bloem bestaat niet: leeuwentand, krokodillentong of reigersbek?

7. Welke Belgische filmacteur noemt men in Amerika 'The Muscles from Brussels', 'de spieren uit Brussel'?

8. In welk land ligt het stadje Tokaj, dat zijn naam gaf aan de Tokaj-druif en de Tokaj-wijnen?

9. Hoe luidt de uit het Italiaans afkomstige benaming voor een ambachtsman die bepleistering aanbrengt op muren en plafonds?

10. Van de naam van welke Griekse god is het woord 'paniek' afgeleid?

antwoorden

1. Minaret
2. In Japan
3. Prince
4. Tom Steels
   Hij is een spurter. In 2004 werd hij voor de vierde keer kampioen van België op de weg.
5. Tot Indonesië
   Sumatera in het Indonesisch
6. Krokodillentong
   Leeuwentand is een bloemgeslacht dat behoort tot de composietenfamilie, met gele bloemen. Reigersbek is een plant uit de ooievaarsbekfamilie en heeft roze bloempjes.
7. Jean-Claude van Damme
8. In Hongarije
   Tokaj ligt in het noordoosten van Hongarije.
9. Stukadoor
   'Stuccatore' in het Italiaans.
10. Van die van Pan
    Pan was de god van de natuur. Hij had horens, een baard en een staart. Hij woonde in onherbergzame streken, waar hij reizigers aan het schrikken bracht. Die vluchtten dan in paniek weg.

11. Van welke chirurg werd in juni 2006 het boek 'Een wereld van wellness' gepubliceerd?

12. Welke vliegtuigconstructeur bouwde het 747-model dat in 1970 zijn eerste commerciële vlucht maakte?

13. Hoeveel speelvakjes telt een dambord?

14. Welk reusachtig meer, op de grens tussen Peru en Bolivia, ligt op meer dan 3800 meter hoogte in het Andesgebergte?

15. Het sternum, is dat het schouderblad, het borstbeen of het stuitbeen?

16. Welk Nederlands pretpark investeerde meer dan 22 miljoen euro in de achtbaan 'De Vliegende Hollander'?

17. Hoe heet de hoogste onderscheiding die op het filmfestival van Berlijn wordt uitgereikt?

18. Hoeveel joule is één kilojoule?

19. Welke computerfirma stelde in januari 2007 de iPhone voor, een mobiele telefoon waarin heel wat functies van de iPod-muziekspeler geïntegreerd zijn?

20. Welke snelle gezelschapsdans ontstond rond 1912 en heeft een uit het Engels overgenomen naam die 'vossengang' betekent?

antwoorden

11. Van Jeff Hoeyberghs
    In 'Een wereld van wellness' zoekt Hoeyberghs naar de oorzaken van de onvrede van mensen en formuleert hij nieuwe toekomstperspectieven.

12. Boeing
    De Boeing 747 wordt ook 'jumbojet' genoemd.

13. Honderd
    Vijftig zwarte en vijftig witte.

14. Het Titicacameer
    Het is het hoogst gelegen commercieel bevaarbare meer ter wereld.

15. Het borstbeen
    Het borstbeen is het platte beenstuk dat je in het midden van je borst kan voelen.

16. De Efteling

17. De Gouden Beer

18. Duizend
    Het prefix 'kilo', dat van het Grieks komt, wijst op een factor 1000.

19. Apple
    Apple (Computer) Corporation.

20. De foxtrot
    In de foxtrot worden bewegingen naar voren, naar achteren en opzij gemaakt. Deze bewegingen worden door momenten van stilstaan onderbroken.

21. Wat is geen soep: pilav, gazpacho of borsjtsj?

22. Van welke Nederlandse provincie is Leeuwarden de hoofdstad?

23. Uit welke twee soorten bloemen bestond het bruidsboeket dat
Willy Sommers voor zijn geliefde kocht volgens een liedjestekst uit 1971?

24. Welke Belgische mannelijke judoka kreeg in 1979 de Nationale Trofee
voor Sportverdienste?

25. Van welke dieren worden de oren in het jagersjargon 'lepels' genoemd?

26. Wie is de vader van acteur Peter Fonda en actrice Jane Fonda
én de grootvader van actrice Bridget Fonda? Naam en voornaam.

27. Het logo van De Post bestaat uit twee kleuren: rood en …?

28. Welke Belgische instrumentenbouwer verbeterde de basklarinet
en ontwierp de saxhoorns en de saxofoon?

29. Hoe heet het werk van Johann Wolfgang von Goethe waarin een man
zijn ziel aan de duivel verkoopt in ruil voor kennis en macht?

30. Welke harde helgroene appel werd voor het eerst gekweekt
door de Australische Maria Ann Smith?

antwoorden

21. Pilav
Pilav is rijst gekookt in vleesnat. Gazpacho is een Spaanse soep die koud gegeten wordt. Borsjtsj is een Russische bietensoep met zure room.

22. Van Friesland

23. Uit anjers en rozen
'Zeven anjers, zeven rozen, een bruidsboeket voor jou. Zeven anjers, zeven rozen, heb ik heel speciaal gekozen, ik die zoveel van je hou.'

24. Robert Van de Walle
Hij werd ook verkozen tot Sportman van het Jaar 1979. In 1980 won Van de Walle goud op de Olympische Spelen in Moskou.

25. Van hazen; konijnen

26. Henry Fonda
Henry Fonda, die in 1981 nog samen met zijn dochter Jane acteerde in de film 'On Golden Pond', overleed een jaar later.

27. Wit

28. Adolphe Sax

29. Faust

30. De Granny Smith
Maria Ann Smith werd door haar omgeving 'Granny Smith' genoemd. Zij kweekte de knapperige appelsoort voor het eerst rond 1860.

BELGISCHE PREMIERS

20 maart 2008 – …	**Yves Leterme**
12 juli 1999 – 20 maart 2008	**Guy Verhofstadt**
7 maart 1992 – 12 juli 1999	**Jean-Luc Dehaene**
17 december 1981 – 7 maart 1992	**Wilfried Martens**
6 april 1981 – 17 december 1981	**Mark Eyskens**
3 april 1979 – 6 april 1981	**Wilfried Martens**
20 oktober 1978 – 3 april 1979	**Paul Vanden Boeynants**
25 april 1974 – 20 oktober 1978	**Leo Tindemans**
26 januari 1973 – 25 april 1974	**Edmond Leburton**
17 juni 1968 – 26 januari 1973	**Gaston Eyskens**
19 maart 1966 – 17 juni 1968	**Paul Vanden Boeynants**
28 juli 1965 – 19 maart 1966	**Pierre Harmel**
25 april 1961 – 28 juli 1965	**Théo Lefèvre**
26 juni 1958 – 25 april 1961	**Gaston Eyskens**
23 april 1954 – 26 juni 1958	**Achille Van Acker**
15 januari 1952 – 23 april 1954	**Jean Van Houtte**
16 augustus 1950 – 15 januari 1952	**Joseph Pholien**
8 juni 1950 – 16 augustus 1950	**Jean Duvieusart**
11 augustus 1949 – 8 juni 1950	**Gaston Eyskens**
20 maart 1947 – 11 augustus 1949	**Paul-Henri Spaak**
3 augustus 1946 – 20 maart 1947	**Camille Huysmans**
31 maart 1946 – 3 augustus 1946	**Achille Van Acker**
13 maart 1946 – 31 maart 1946	**Paul-Henri Spaak**
12 februari 1945 – 13 maart 1946	**Achille Van Acker**
22 februari 1939 – 12 februari 1945	**Hubert Pierlot**
15 mei 1938 – 22 februari 1939	**Paul-Henri Spaak**
24 november 1937 – 15 mei 1938	**Paul-Emile Janson**
25 maart 1935 – 24 november 1937	**Paul van Zeeland**
20 november 1934 – 25 maart 1935	**Georges Theunis**
22 oktober 1932 – 20 november 1934	**Charles de Broqueville**
6 juni 1931 – 22 oktober 1932	**Jules Renkin**
20 mei 1926 – 6 juni 1931	**Henri Jaspar**
17 juni 1925 – 20 mei 1926	**Prosper Poullet**
13 mei 1925 – 17 juni 1925	**Aloys van de Vijvere**

16 december 1921 – 13 mei 1925	**Georges Theunis**
20 november 1920 – 16 december 1921	**Henri Carton de Wiart**
21 november 1918 – 20 november 1920	**Léon Delacroix**
1 juni 1918 – 21 november 1918	**Gerhard Cooreman**
17 juni 1911 – 1 juni 1918	**Charles de Broqueville**
9 januari 1908 – 17 juni 1911	**Frans Schollaert**
2 mei 1907 – 9 januari 1908	**Jules de Trooz**
5 augustus 1899 – 2 mei 1907	**Paul de Smet de Naeyer**
24 januari 1899 – 5 augustus 1899	**Jules Vandenpeereboom**
25 februari 1896 – 24 januari 1899	**Paul de Smet de Naeyer**
26 maart 1894 – 25 februari 1896	**Jules de Burlet**
26 oktober 1884 – 26 maart 1894	**August Beernaert**
16 juni 1884 – 26 oktober 1884	**Jules Malou**
19 juni 1878 – 16 juni 1884	**Walthère Frère-Orban**
7 december 1871 – 19 juni 1878	**Jules Malou**
2 juli 1870 – 7 december 1871	**Jules Joseph d'Anethan**
3 januari 1868 – 2 juli 1870	**Walthère Frère-Orban**
9 november 1857 – 3 januari 1868	**Charles Rogier**
30 maart 1855 – 9 november 1857	**Pierre de Decker**
31 oktober 1852 – 30 maart 1855	**Henri de Brouckère**
12 augustus 1847 – 31 oktober 1852	**Charles Rogier**
31 maart 1846 – 12 augustus 1847	**Barthélémy de Theux de Meylandt**
30 juli 1845 – 31 maart 1846	**Sylvain Van de Weyer**
13 april 1841 – 30 juli 1845	**Jean-Baptiste Nothomb**
18 april 1840 – 13 april 1841	**Joseph Lebeau**
4 augustus 1834 – 18 april 1840	**Barthélémy de Theux de Meylandt**
20 oktober 1832 – 4 augustus 1834	**Charles Rogier**
24 juli 1831 – 20 oktober 1832	**Felix de Muelenaere**

Onafhankelijkheid uitgeroepen op 4 oktober 1830

27 september 1830 – 25 februari 1831	*Voorlopig Bewind*
26 februari 1831 – 24 juli 1831	*regering van regent Surlet de Chokier*

1. Hoe heet het kookboek van de KVLV dat in 1927 voor het eerst verscheen en waarvan er ondertussen al meer dan 2 miljoen exemplaren verkocht zijn?

2. In welke Antwerpse gemeente kan je het recreatiepark Zilverstrand bezoeken?

3. Welke Vlaamse zanger had in 1980 een hit met het nummer 'Je veux de l'amour'?

4. Hoe heet de hoofdstad van de Spaanse provincie Navarra, waar jaarlijks een wedstrijd gehouden wordt waarbij stieren in de straten worden losgelaten?

5. Noem het plantengeslacht waarvan de naam begint met 'arons'.

6. Welke Vlaamse komiek speelde de titelrol in de film 'Max' uit 1994?

7. Bij welke Italiaanse club voetbalde Marco Van Basten van 1987 tot 1993?

8. Om het spellen van woorden te vergemakkelijken gebruikt de NAVO een spellingsalfabet. Welk woord wordt in dat alfabet gebruikt voor de letter 'p'?

9. Wat is de officiële munteenheid in het kanton Wallis?

10. Welk muziekstrument staat op het logo van de Ierse brouwerij Guinness?

antwoorden

1. Ons Kookboek
2. In Mol
   Het recreatiepark Zilverstrand ligt dicht bij het Zilvermeer.
3. Raymond van het Groenewoud
4. Pamplona
5. Aronskelk
   De gevlekte aronskelk komt in ons land voor in loofbossen en andere beschaduwde plaatsen.
6. Jacques Vermeire
7. Bij AC Milan
   Hij kwam van Ajax Amsterdam. Door een ernstige enkelblessure moest hij vroegtijdig stoppen met voetballen.
8. Papa
   Het spellingsalfabet van de NAVO wordt veel gebruikt bij internationale communicatie.
9. De (Zwitserse) frank
   Wallis is een Zwitsers kanton. De munteenheid van Zwitserland is de Zwitserse frank
10. Harp
    De harp is het officiële symbool van Ierland en staat ook op het Ierse wapen en op de Ierse euromunten.

11. Welke Nigel, die in 1954 in het Engelse Bristol geboren werd, emigreerde naar België en werd bij ons een succesvolle stand-upcomedian?

12. Welk dier heeft acht poten: de sprinkhaan, de rivierkreeft of de schorpioen?

13. Welke Deen schreef het sprookje 'De wilde zwanen'?

14. Hoe heet het voormalige Ceylon nu?

15. Welk spel van de Nationale Loterij wordt aangeprezen met de slagzin 'Word schandalig rijk'?

16. In de periode 1977-1992 stonden drie Zweedse tennissers aan de kop van de ATP-wereldranglijst. Mats Wilander en Stefan Edberg zijn er twee van, wie is de derde?

17. Hoe noemen wiskundeleraars het gedeelte van een breuk dat onder de teller staat?

18. Welke televisiezender kwam op 1 februari 1989 op onze kabel?

19. Wat is de voornaam van de voormalige Franse president Giscard d'Estaing?

20. Welke countryzangeres gaf haar naam aan het Amerikaanse pretpark Dollywood?

antwoorden

11. Nigel Williams
12. De schorpioen
    De schorpioen is een spinachtige en heeft dus acht poten. Sprinkhanen zijn insecten en hebben zes poten; kreeftachtigen hebben tien poten.
13. Hans Christian Andersen
14. Sri Lanka
    De naam van Ceylon veranderde in 1972.
15. Euro Millions
16. Björn Borg
    Borg kwam zes keer aan de kop van de ATP-wereldranglijst in de periode 1977-1981.
17. De noemer
18. VTM
19. Valéry
    Giscard d'Estaing was van 1974 tot 1981 president van Frankrijk. In 1981 werd hij als president opgevolgd door François Mitterrand.
20. Dolly Parton
    Dollywood ligt in de Amerikaanse staat Tennessee. Muziek is nadrukkelijk aanwezig in dit themapark.

21. Welk programmapakket van Microsoft bevat onder meer het presentatieprogramma PowerPoint?

22. Hoe luidt de Nederlandse benaming voor de Belgische gemeente La Hulpe?

23. Is baklava in Turkije een soep, een slaatje of een dessert?

24. Welke Stella volgde in 1997 Karl Lagerfeld op als ontwerpster voor het Franse modehuis Chloé?

25. In welke opera van George Gershwin zingt het personage Clara de aria 'Summertime'?

26. Aan welk van je organen scheelt er iets als je lijdt aan hepatitis?

27. Welke Elijah speelt de rol van Frodo in de filmtrilogie 'The Lord of the Rings'?

28. Bij een rokade worden twee schaakstukken verplaatst. De koning is er een van, wat is het andere?

29. Welke Noorse god was gewapend met een hamer die de naam Mjölnir droeg?

30. Welke gespecialiseerde arts houdt zich bezig met het verdoven van patiënten op de operatietafel?

antwoorden

21. Microsoft Office; Office
22. Terhulpen
    Terhulpen is een gemeente in de provincie Waals-Brabant.
23. Een dessert
    Baklava is een zeer zoet Turks gebak van bladerdeeg met honing en noten.
24. Stella McCartney
    Ze is een dochter van ex-Beatle Paul McCartney. In 2001 verliet ze Chloé om een eigen zaak te beginnen.
25. In 'Porgy and Bess'
26. Aan de lever
    Hepatitis is leverontsteking. Het woord komt van het Griekse 'hepatos', 'lever'.
27. Elijah Wood
    Frodo Baggins is een hobbit en de centrale held in dit epos.
28. Een toren
29. Thor
    Thor was de god van de donder en de oorlog. Zijn machtige hamer keerde naar hem terug, nadat hij hem naar zijn vijanden geslingerd had.
30. De anesthesist
    Het woord komt van het Griekse 'anaisthèsia', 'gevoelloosheid'.

EUROVISIESONGFESTIVALWINNAARS

1956	**ZWITSERLAND**	Refrain	Lys Assia
1957	**NEDERLAND**	Net als toen	Corry Brokken
1958	**FRANKRIJK**	Dors, mon amour	André Claveau
1959	**NEDERLAND**	Een beetje	Teddy Scholten
1960	**FRANKRIJK**	Tom Pillibi	Jacqueline Boyer
1961	**LUXEMBURG**	Nous les amoureux	Jean-Claude Pascal
1962	**FRANKRIJK**	Un premier amour	Isabelle Aubret
1963	**DENEMARKEN**	Dansevise	Grethe & Jørgen Ingmann
1964	**ITALIË**	Non ho l'età	Gigliola Cinquetti
1965	**LUXEMBURG**	Poupée de cire, poupée de son	France Gall
1966	**OOSTENRIJK**	Merci chérie	Udo Jürgens
1967	**VERENIGD KONINKRIJK**	Puppet on a String	Sandie Shaw
1968	**SPANJE**	La, la, la...	Massiel
1969	**SPANJE**	Vivo cantando	Salomé
	FRANKRIJK	Un jour, un enfant	Frida Boccara
	NEDERLAND	De troubadour	Lenny Kuhr
	VERENIGD KONINKRIJK	Boom Bang-a-bang	Lulu
1970	**IERLAND**	All Kinds of Everything	Dana
1971	**MONACO**	Un banc, un arbre, une rue	Séverine
1972	**LUXEMBURG**	Après toi	Vicky Leandros
1973	**LUXEMBURG**	Tu te reconnaîtras	Anne-Marie David
1974	**ZWEDEN**	Waterloo	ABBA
1975	**NEDERLAND**	Ding-a-dong	Teach-In
1976	**VERENIGD KONINKRIJK**	Save Your Kisses for Me	Brotherhood of Man
1977	**FRANKRIJK**	L'oiseau et l'enfant	Marie Myriam
1978	**ISRAËL**	A-ba-ni-bi	Izhar Cohen and the Alphabeta
1979	**ISRAËL**	Hallelujah	Milk & Honey
1980	**IERLAND**	What's Another Year	Johnny Logan

1981	**VERENIGD KONINKRIJK**	Making Your Mind Up	Bucks Fizz
1982	**DUITSLAND**	Ein bißchen Frieden	Nicole
1983	**LUXEMBURG**	Si la vie est cadeau	Corinne Hermès
1984	**ZWEDEN**	Diggi-loo diggi-ley	Herrey's
1985	**NOORWEGEN**	La det swinge	Bobbysocks
1986	**BELGIË**	J'aime la vie	Sandra Kim
1987	**IERLAND**	Hold Me Now	Johnny Logan
1988	**ZWITSERLAND**	Ne partez pas sans moi	Céline Dion
1989	**JOEGOSLAVIË**	Rock Me	Riva
1990	**ITALIË**	Insieme: 1992	Toto Cutugno
1991	**ZWEDEN**	Fångad av en stormvind	Carola
1992	**IERLAND**	Why Me	Linda Martin
1993	**IERLAND**	In Your Eyes	Niamh Kavanagh
1994	**IERLAND**	Rock 'n' Roll Kids	Paul Harrington & Charlie McGettigan
1995	**NOORWEGEN**	Nocturne	Secret Garden
1996	**IERLAND**	The Voice	Eimear Quinn
1997	**VERENIGD KONINKRIJK**	Love Shine a Light	Katrina & the Waves
1998	**ISRAËL**	Diva	Dana International
1999	**ZWEDEN**	Take Me to Your Heaven	Charlotte Nilsson
2000	**DENEMARKEN**	Fly on the Wings of Love	Olsen Brothers
2001	**ESTLAND**	Everybody	Tanel Padar, Dave Benton & 2XL
2002	**LETLAND**	I Wanna	Marie N
2003	**TURKIJE**	Everyway That I Can	Sertab Erener
2004	**OEKRAÏNE**	Wild Dances	Ruslana
2005	**GRIEKENLAND**	My Number One	Helena Paparizou
2006	**FINLAND**	Hard Rock Hallelujah	Lordi
2007	**SERVIË**	Molitva	Marija Šerifović
2008	**RUSLAND**	Believe	Dima Bilan

1. Welke Belgische televisiefiguur was van 1987 tot 1990 presentator bij MTV Europe?

2. In welke roman van Patrick Süskind wordt Jean-Baptiste Grenouille een moordenaar wanneer hij de geur van jonge vrouwen probeert te bewaren?

3. Welk farmaceutisch bedrijf is de producent van de erectiestimulerende Viagra-pillen?

4. Welke rol wordt door Gérard Depardieu vertolkt in '1492: Conquest of Paradise', een film uit 1992?

5. Bij welke zaalsport is het veld in het enkelspel 5,18 meter breed en in het dubbelspel 6,1 meter?

6. In welk land liggen de steden Bergen, Trondheim, Stavanger en Kristiansand?

7. Welke beer bestaat niet: de zodiakbeer, de lippenbeer of de kodiakbeer?

8. Welke zingende Tom heeft als pseudoniem 'Admiral Freebee'?

9. Welk dier staat afgebeeld in het logo van Certus, een kwaliteitslabel in de vleessector?

10. Hoe heet in het Engels de dag voor 'Wednesday'?

antwoorden

1. Marcel Vanthilt
2. In 'Het parfum' (de geschiedenis van een moordenaar)
3. Pfizer
4. Die van Christoffel Columbus
5. Bij badminton
   Bij tennis is het veld in het enkelspel 8,23 meter breed en in het dubbelspel 10,97 meter.
6. In Noorwegen
7. De zodiakbeer
   De kodiakbeer leeft op het eiland Kodiak in Alaska en is de grootste der bruine beren. De lippenbeer leeft in Azië en heeft zeer beweeglijke lippen, vandaar zijn naam. De zodiak is de dierenriem.
8. Tom Van Laere
   Hij haalde zijn artiestennaam uit het boek 'On the Road' van Jack Kerouac.
9. Een varken; zwijn; huisvarken; Sus scrofa domesticus
   Het Certus-label garandeert de kwaliteit van Belgisch varkensvlees.
10. Tuesday
    Dat is dinsdag. 'Wednesday' betekent 'woensdag'.

11. Welk symbool van twee letters gebruiken scheikundigen voor de waarde die, op een schaal van 0 tot 14, aangeeft of een vloeistof zuur of basisch is?

12. Welke Franse president gaf zijn naam aan het Centre National d'Art et de Culture in de Parijse wijk Beaubourg?

13. Van welk soort dinosaurussen vond men in 1878 in een kolenmijn in het Henegouwse Bernissart 24 volledige skeletten terug?

14. Hoe noem je in één woord 1024 kilobyte?

15. In welke Belgische provincie ligt de landcommanderij Alden Biezen?

16. In welke atletiekdiscipline was de West-Duitse Ulrike Meyfarth in de jaren 70 en 80 een wereldster?

17. Welke Zuid-Koreaan werd op 1 januari 2007 secretaris-generaal van de Verenigde Naties?

18. Bij welk soort afval sorteer je aardappelschillen: bij het pmd, bij het kga of bij het gft?

19. Welke Roger is de grondlegger van de tapijtenonderneming Beaulieu?

20. Welke planeet staat verder van onze zon dan Jupiter, maar dichter bij de zon dan Uranus?,

antwoorden

11. pH
'pH' is de verkorting van 'potentiaal hydrogenium', voor de chemici onder ons.

12. Georges Pompidou
Het kunstencentrum wordt ook het 'Centre Pompidou' genoemd.

13. Van iguanodons
Die skeletten bevinden zich nu in het Koninklijk Belgisch Instituut voor Natuurwetenschappen in Brussel.

14. Megabyte
'Megabyte' wordt afgekort als 'MB', 'kilobyte' als 'KB'.

15. In Limburg
In Rijkhoven, een deelgemeente van Bilzen.

16. In het hoogspringen
Ulrike Meyfarth won olympisch goud in 1972 en in 1984. Zij verbrak ook driemaal het wereldrecord.

17. Ban Ki-moon
Hij volgde Kofi Annan op.

18. Bij het gft
Bij het groente-, fruit- en tuinafval dus.

19. Roger De Clerck
20. Saturnus
Saturnus is de zesde planeet vanaf de zon.

21. In welke stad aan de Rijn werd van 1248 tot 1880 gebouwd aan een 156 meter hoge gotische dom met vijf hoofdruimtes?

22. Is de kattenstaart een waterplant of een landplant?

23. Welke actrice speelde de rol van Rachel in de televisieserie 'Friends'?

24. In sommige internet- en e-mailadressen vind je de afkorting 'se'. Van de naam van welk land is dit de afkorting?

25. Welk dessert maak je door eidooiers, griessuiker en zoete witte wijn tot schuim te kloppen boven een zacht vuur?

26. Welke ziekte, die vroeger veel bij zeevaarders voorkwam, is te wijten aan een tekort aan vers fruit en verse groente en dus aan vitamine C?

27. In welke balsport worden de termen 'spare', 'strike' en 'pins' gebruikt?

28. Met welke ABBA-collega trouwde Björn Ulvaeus in 1971? De voornaam volstaat.

29. Hoeveel planeten staan dichter bij onze zon dan de aarde?

30. In welke film uit 1939 zegt Rhett Butler op het einde tot Scarlett O'Hara: 'Frankly, my dear, I don't give a damn'?

antwoorden

21. In Keulen
22. Een landplant
    Kattenstaart houdt wel van vochtige gronden.
23. Jennifer Aniston
24. Van Zweden
25. Sabayon; zabaione
26. Scheurbuik
    Scheurbuik werd al door Hippocrates en Plinius beschreven. De ziekte openbaart zich in zwellingen, bloedingen en loskomende tanden en is uiteindelijk dodelijk als ze niet behandeld wordt.
27. In bowling
    Het omverwerpen van de tien kegels of pins in twee worpen heet 'spare'. Worden de tien kegels in slechts één worp omgegooid, dan spreek je van een 'strike'.
28. Met Agnetha (Fältskog)
    De andere leden van ABBA waren Benny Andersson en Anni-Frid Lyngstad.
29. Twee
    Namelijk Mercurius en Venus. De aarde bevindt zich gemiddeld op 150 miljoen kilometer van de zon.
30. In 'Gone With the Wind'

GOUDEN SCHOENWINNAARS

1954	Rik Coppens	Beerschot AC
1955	Fons Van Brandt	Lierse SK
1956	Vic Mees	Antwerp FC
1957	Jef Jurion	SC Anderlecht
1958	Roland Storme	AA La Gantoise
1959	Lucien Olieslagers	Lierse SK
1960	Paul Van Himst	SC Anderlecht
1961	Paul Van Himst	SC Anderlecht
1962	Jef Jurion	SC Anderlecht
1963	Jean Nicolay	Standard CL
1964	Wilfried Puis	SC Anderlecht
1965	Paul Van Himst	SC Anderlecht
1966	Wilfried Van Moer	Antwerp FC
1967	Fernand Boone	Club Brugge FC
1968	Odilon Polleunis	Sint-Truiden
1969	Wilfried Van Moer	Standard CL
1970	Wilfried Van Moer	Standard CL
1971	Erwin Van Den Daele	Club Brugge FC
1972	Christian Piot	Standard CL
1973	Maurice Martens	Racing White
1974	Paul Van Himst	SC Anderlecht
1975	Johan Boskamp	RWD Molenbeek
1976	Robbie Rensenbrink	SC Anderlecht
1977	Julien Cools	Club Brugge FC
1978	Jean-Marie Pfaff	SK Beveren
1979	Jean Janssens	SK Beveren
1980	Jan Ceulemans	Club Brugge FC
1981	Erwin Vandenbergh	Lierse SK
1982	Eric Gerets	Standard CL
1983	Franky Vercauteren	SC Anderlecht
1984	Enzo Scifo	SC Anderlecht
1985	Jan Ceulemans	Club Brugge FC
1986	Jan Ceulemans	Club Brugge FC
1987	Michel Preud'homme	KV Mechelen FC
1988	Leo Clijsters	KV Mechelen FC
1989	Michel Preud'homme	KV Mechelen FC
1990	Franky Van der Elst	Club Brugge FC
1991	Marc De Gryse	SC Anderlecht
1992	Philippe Albert	KV Mechelen FC en SC Anderlecht
1993	Pär Zetterberg	SC Anderlecht
1994	Gilles De Bilde	Eendracht Aalst
1995	Paul Okon	Club Brugge FC
1996	Franky Van der Elst	Club Brugge FC
1997	Pär Zetterberg	SC Anderlecht
1998	Branko Strupar	KRC Genk
1999	Lorenzo Staelens	RSC Anderlecht
2000	Jan Koller	RSC Anderlecht
2001	Wesley Sonck	KRC Genk
2002	Timmy Simons	Club Brugge FC
2003	Aruna Dindane	RSC Anderlecht
2004	Vincent Kompany	RSC Anderlecht
2005	Sergio Conceiçao	Standard de Liège
2006	Mbark Boussoufa	KAA Gent en RSC Anderlecht
2007	Steven Defour	Standard de Liège

1. Welk supersonische passagiersvliegtuig maakte op 24 oktober 2003 zijn laatste vlucht?

2. Welke Latijnse uitdrukking, die 'let wel' betekent, wordt afgekort tot 'NB'?

3. Welke Limburgse spurter was in 1996 de enige blanke in de finale van de 200 meter vlak op de Olympische Spelen in Atlanta?

4. Welk groot Aziatisch land heeft een rode vlag met in de linkerbovenhoek één grote en vier kleine gele sterren?

5. Zijn mollen warmbloedig of koudbloedig?

6. Wie vertolkt de rol van politieagent John McClane in 'Die Hard 4.0', een film uit 2007?

7. Over welk land regeerde Erasme Louis Surlet de Chokier in 1831 als regent?

8. Van wat is 'UFO' de afkorting?

9. Hoe noemen we in de taalkunde een woord als 'donderen' of 'koekoek' dat een klanknabootsing is van datgene wat het benoemt?

10. Hoe heet het perzikendessort dat de Franse chef-kok Auguste Escoffier rond de eeuwwisseling opdroeg aan een beroemde operazangeres?

antwoorden

1. De Concorde
   De laatste vlucht ging van New York naar Londen. Het was een vlucht van British Airways.
2. Nota bene
3. Patrick Stevens
   Stevens eindigde uiteindelijk zevende.
4. China; de Volksrepubliek China
5. Warmbloedig
   Mollen zijn zoogdieren en alle zoogdieren zijn warmbloedig.
6. Bruce Willis
   Willis speelt die rol in de vier 'Die Hard'-films.
7. Over België
   Hij regeerde van 24 februari tot 21 juli 1831, de dag van de troonsbestijging van Leopold I.
8. Unidentified Flying Object
   Dat betekent 'niet-geïdentificeerd vliegend voorwerp'.
9. Onomatopee
10. Pêche Melba
    Vanille-ijs, perziken en frambozencoulis. Het was opgedragen aan de Australische sopraan Nellie Melba.

11. Hoe heette de legendarische zanger van The Doors, die in 1971 in Parijs overleed?

12. Welke naam, die verwijst naar de hindoeïstische oppergod, gaf men aan de leden van de hoogste hindoekaste in India?

13. In welke staat van de Verenigde Staten van Amerika ligt het Everglades National Park?

14. Welke tanden staan tussen onze snijtanden en onze kiezen?

15. Welk personage werd vertolkt door Mark Hamill in de 'Star Wars'-films 'A New Hope', 'The Empire Strikes Back' en 'Return of the Jedi'?

16. Hoe noemen tennisspelers, met een uit het Engels overgenomen woord, de slag waarbij de rug van de hand naar de aankomende bal gekeerd is?

17. Wat is de afkorting van 'Union Chimique Belge', de naam van een Belgische farmaceutische en chemische groep?

18. Geef straatnaam én huisnummer van de ambtswoning van de Britse premier in Londen.

19. In welk seizoen valt het feest van Sint-Valentijn?

20. In welke Amerikaanse televisieserie uit de jaren zeventig spelen de families Carrington en Colby de hoofdrollen?

 ## antwoorden

11. Jim Morrison
    Hij werd begraven op de Parijse begraafplaats Père-Lachaise.
12. Brahmanen
    Brahma is in het hindoeïsme de schepper en de allerhoogste god.
13. In Florida
    Het is een subtropisch moeraslandschap waarin onder andere zeekoeien, pelikanen en alligators leven.
14. Hoektanden
15. Luke Skywalker
16. Backhand
17. UCB
    Union Chimique Belge werd in 1928 opgericht.
18. Downing Street 10
19. In de winter
    Namelijk op 14 februari.
20. In 'Dynasty'
    Deze 'Dallas'-achtige serie gaat over door olie rijk geworden families die elkaar het licht in de ogen niet gunnen.

21. Welke aperitiefwijn dankt zijn naam aan de Spaanse stad Jerez de la Frontera?

22. Cryptogram: welke drug bestond uit Joyce De Troch, Katia Alens en Inge Moerenhout?

23. Welke plant behoort tot de rozenfamilie: de stokroos, de hondsroos of de klaproos?

24. Welke Limburgse herenvolleybalploeg won in de jaren 90 vier keer de Belgische beker?

25. Aan welke 510 kilometer lange rivier ligt de Oostenrijkse stad Innsbruck?

26. Met hoeveel dobbelstenen wordt het gezelschapsspel Mastermind gespeeld?

27. Voor welke politieke partij was Alain van der Biest in 1988 minister van Pensioenen?

28. Van welk automerk werden vanaf 1950 wagens gemaakt door Van Doorne's Autofabriek NV in Eindhoven?

29. Welke hulporganisatie kan men in België bereiken op het telefoonnummer 105?

30. Het Romeinse volk verlangde in de keizertijd naar 'panem et circenses'. Wat betekent dat?

antwoorden

21. Sherry; xeres
    Jerez de la Frontera ligt niet ver van Cádiz in het zuiden van Andalusië; hier wordt reeds lang de sherry gemaakt.
22. Opium
    De damesband Opium had enkele hitjes in de periode 1997-2001.
23. De hondsroos; wilde roos
    De stokroos behoort tot de kaasjeskruidfamilie, de klaproos tot de papaverfamilie.
24. (Noliko) Maaseik
    Meer bepaald in 1991, 1997, 1998 en 1999.
25. Aan de Inn
26. Met geen
    In Mastermind probeer je – door gekleurde pinnetjes op de juiste plaats te zetten – de code van je tegenstander te kraken.
27. Voor de PS; Parti Socialiste
    Alain van der Biest maakte in maart 2002 een einde aan zijn leven.
28. Van DAF
    Van Doorne's Autofabriek NV werd opgericht als zusterbedrijf van het in 1928 opgerichte Van Doorne's Aanhangwagenfabriek.
29. Het Rode Kruis
30. Brood en spelen

DE VROUWEN VAN HENDRIK VIII *(28 juni 1491 – 28 januari 1547)*

Catharina van Aragón	gehuwd in 1509, gescheiden 1533
Anna Boleyn	gehuwd in 1533, onthoofd in 1536
Jane Seymour	gehuwd in 1536, gestorven in het kraambed in 1537
Anna van Kleef	gehuwd in 1540, hetzelfde jaar gescheiden
Catharina Howard	gehuwd in 1540, onthoofd in 1542
Catharina Parr	gehuwd in 1543, zij overleefde hem

Engelse ezelsbruggetjes:
'Divorced, beheaded, died, divorced, beheaded, survived'
'Kate an' Anne an' Jane an' Anne an' Kate (again, again!)'

1. Hoeveel betaalt de croupier je uit, als je in een casino op de roulette 100 euro op rood speelt, en je wint?

2. Zippen is het kleiner maken van computerbestanden. Welk werkwoord dat eindigt op 'zippen' is het tegenovergestelde van 'zippen'?

3. Onder welke merknaam bracht de Italiaanse firma Piaggio in april 1946 de eerste scooter op de markt?

4. Hoe heet de heuvel in Athene waarop zich de propyleeën bevinden, de galerijen die de ingang tot het Parthenon vormen?

5. Van welke steenvrucht zijn Reine Claude d'Althann en Reine Victoria variëteiten?

6. Welke acteur vertolkte de personages Willy Wonka, Jack Sparrow en Gilbert Grape?

7. Wie kwam eind mei 2002 als eerste vrouw in de geschiedenis aan het hoofd van het ABVV?

8. Wie van de twee scoorde het meeste doelpunten voor de Rode Duivels in officiële wedstrijden: Marc Wilmots of Luc Nilis?

9. Van welke Vlaamse popgroep met Alex Callier maakte Geike Arnaert deel uit?

10. Wat is de pikante culinaire specialiteit van Dijon?

 # antwoorden

1. **200 euro**
   Hij betaalt je inzet terug, plus 100 euro winst.
2. **Unzippen**
   Bestanden worden kleiner door ze te zippen. Unzippen is een gezipt bestand weer in zijn oorspronkelijke staat terugbrengen.
3. **Vespa**
   'Vespa', wat het Italiaans is voor 'wesp', werd synoniem van 'scooter'.
4. **Acropolis**
   Het Parthenon is een tempel, gewijd aan de stadsgodin Athena.
5. **Van de pruim**
6. **Johnny Depp**
   Willy Wonka speelde hij in 'Charlie and the Chocolate Factory', Jack Sparrow in 'Pirates of the Caribbean' en Gilbert Grape in 'What's Eating Gilbert Grape'.
7. **Mia De Vits**
   In 2004 werd ze Europarlementslid voor de sp.a. Als hoofd van het ABVV werd ze opgevolgd door haar algemeen secretaris André Mordant.
8. **Marc Wilmots**
   Marc Wilmots scoorde 28 keer in 88 interlands, Luc Nilis scoorde maar tien keer in zestig interlands.
9. **Van Hooverphonic**
   Op 10 oktober 2008 kondigde Arnaert aan dat ze de groep zou verlaten.
10. **Mosterd**
    Andere, niet pikante, specialiteiten van Dijon zijn peperkoek en crème de cassis.

11. In welke oorlog werd in 1937 de stad Guernica gebombardeerd?

12. Is mescaline een gerecht, een drug of een edelsteen?

13. Hoe heet de Amerikaanse uitvinder van een veelgebruikt veiligheidsslot met platte sleutel? Hij leefde van 1821 tot 1868.

14. Welke Franse rivier splitst zich net voor Arles in een grote en een kleine arm die de Camargue omsluiten en vervolgens in de Middellandse Zee uitmonden?

15. Welk van deze dieren bestaat niet: de brilbeer, de neusbeer of de oorbeer?

16. Welke affiche kan je vormen met de letters van 'presto'?

17. Hoe heette de brouwer die op 3 januari 2002 in de Nederlandse gemeente Noordwijk op 78-jarige leeftijd overleed?

18. Welke Tsjechoslovaakse langeafstandsloper werd op de Olympische Spelen van 1948 tweede op de 5000 meter, na de Belg Gaston Reiff?

10. Wat is volgens Van Dale het meervoud van 'genot'?

20. Hoe heet de Amerikaanse comedyserie waarin schoenenverkoper Al Bundy de hoofdrol speelt?

antwoorden

11. In de Spaanse burgeroorlog
12. Een drug
    Mescaline is een verslavende stof die uit een Midden-Amerikaanse cactus gewonnen wordt. Het brengt psychische stoornissen teweeg, maar heeft tegelijkertijd ook stimulerende eigenschappen.
13. (Linus) Yale
    Hij vond het yaleslot uit.
14. De Rhône
15. De oorbeer
    De brilbeer heeft een tekening op de kop die op een bril lijkt. De neusbeer is een klein beertje uit Zuid-Amerika waarvan de neus tot een slurf verlengd is.
16. Een poster
    Een poster is een affiche die ook als versiering aan de muur wordt gebruikt.
17. Alfred Heineken; Freddy Heineken
18. Emil Zatopek
    Vier jaar later zou hij in Helsinki de 5000 meter, de 10.000 meter en de marathon winnen.
19. Genietingen
20. Married With Children
    De reeks liep op de Amerikaanse televisie van 1987 tot 1997.

21. Hoe heet de pijn die iemand in een afgezet lichaamsdeel toch nog kan gewaarworden?

22. Welke Franse zanger van Armeense afkomst had in de jaren zestig grote hits in Vlaanderen met de nummers 'La Mamma' en 'Que c'est triste Venise'?

23. Welke alcoholische drank heb je nodig voor het bereiden van een screwdriver?

24. Hoe heet in de christelijke traditie de dag vóór Goede Vrijdag?

25. Wie regisseerde '2001: A Space Odyssey', een sciencefictionfilm uit 1968?

26. In welk Europees land liggen de graafschappen Carlow, Kildare en Kilkenny?

27. Hoe heet de in 1976 door dokter Jan Vermeiren in de Marollen opgerichte instelling die hulp verleent aan de armen?

28. Hoeveel procent bedraagt de kans dat je uit een gewoon kaartspel van 52 kaarten een harten trekt?

29. Hoe noemde men de legerafdeling bij de Romeinen die aanvankelijk 3300, later 4200 en ten slotte 6000 man sterk was?

30. Welk kledingstuk zit verborgen in het woord 'onbehagen'?

 # antwoorden

21. Fantoompijn; spookpijn
22. Charles Aznavour
23. Wodka
   De screwdriver is een cocktail bestaande uit wodka en sinaasappelsap.
24. Witte Donderdag
25. Stanley Kubrick
26. In Ierland
   De Ierse republiek telt 26 graafschappen of counties, Noord-Ierland telt er zes.
27. Poverello
   De armen kunnen er overnachten, eten, praten en zich verwarmen.
28. 25 procent
   Een pakje speelkaarten bestaat uit 13 harten, 13 ruiten, 13 klaveren en 13 schoppen.
   Je hebt dus één kans op vier om een harten te trekken.
29. Een legioen; legio
   Een legioen bestond uit tien cohorten.
30. Beha

BELGISCHE MISSEN

MISS BELGIË

1968	Patrice Cremers
1969	Maud Alin
1970	Francine Martin
1971	Martine De Hert
1972	Anne-Marie Roger
1973	Christiane De Visch
1974	Anne-Marie Sikorski
1975	Christine Delmelle
1976	Yvette Aelbrecht
1977	Claudine Vasseur
1978	Maggy Moreau
1979	Christine Cailliau
1980	Brigitte Billen
1981	Dominique Van Eeckhoudt
1982	Marie-Pierre Lemaître
1983	Françoise Bostoen
1984	Brigitte Muyshondt
1985	An Van Den Broeck
1986	Goedele Liekens
1987	Lynn Wesenbeek
1988	Daisy Van Cauwenbergh
1989	Anne De Baetzelier
1990	Katia Alens
1991	Anke Vandermeersch
1992	Sandra Joine
1993	Stéphanie Meire
1994	Ilse De Meulemeester
1995	Véronique De Kock
1996	Laurence Borremans
1997	Sandrine Corman

1998	Tanja Dexters
1999	Brigitta Callens
2000	Joke Van de Velde
2001	Dina Tersago
2002	Ann Van Elsen
2003	Julie Taton
2004	Ellen Petri
2005	Tatiana Silva Braga Tavares
2006	Virginie Claes
2007	Annelien Coorevits
2008	Alizée Poulicek

MISS BELGIAN BEAUTY

1992	Rani De Coninck
1993	Karina Beuthe
1994	Karolien Taverniers
1995	Petra Winckelmans
1996	Stefanie Van Vyve
1997	Els Tibau
1998	Liesbeth Van Bavel
1999	Darline Vanheule
2000	Caroline Ex
2001	Eveline Hoste
2002	Brunhilde Verhenne
2003	Zsofi Horvath
2004	Sofie Grosemans
2005	Cynthia Reekmans
2006	Céline Du Caju
2007	Anne-Marie Ilie
2008	Nele Somers
2009	Yoni Mous

1. Wat is het tegenovergestelde van 'inflatie', de benaming voor de waardevermindering van geld?

2. Op welke schaal is een storm een wind met windkracht negen?

3. Welke Britse acteur speelde hoofdrollen in 'Four Weddings and a Funeral', 'Nine Months' en 'The Englishman Who Went Up a Hill and Came Down a Mountain'?

4. In welke Braziliaanse stad kan je gaan zonnen op de stranden van Copacabana en Ipanema?

5. Geef een andere Nederlandse naam voor de lariks, een naaldboom die in de herfst zijn naalden verliest.

6. Bij welke Nederlandse club voetbalde Thomas Buffel van 2002 tot 2005?

7. Welke Nederlandse politicus kwam op 6 mei 2002 in Hilversum bij een aanslag om het leven?

8. Welke salade, bestaande uit sla, olijven, tomaten, gekookte eieren, artisjokharten en ansjovis, dankt haar naam aan een stad aan de Côte d'Azur?

9. Onder welke naam is de Engelse extravagante zanger en pianist Reginald Kenneth Dwight, die zich 'Sir' mag noemen, beter bekend?

10. Welke Nederlandse maker van gps-navigatietoestellen bracht begin juli 2007 het model Go 720 op de markt met de functies 'Bel om hulp' en 'Handleiding eerste hulp'?

antwoorden

1. Deflatie
   Deflatie is waardevermeerdering, door het verminderen van de hoeveelheid in omloop zijnd geld.

2. Op de schaal van Beaufort
   Windkracht 9 betekent een windsnelheid tussen 75 en 88 km/uur. De schaal werd in 1805 opgesteld door de Ier Francis Beaufort.

3. Hugh Grant

4. In Rio de Janeiro

5. Lork

6. Bij Feyenoord (Rotterdam)
   In 2005 ging Thomas Buffel naar Glasgow Rangers en in de zomer van 2008 begon hij voor Cercle Brugge te spelen.

7. Pim Fortuyn
   Fortuyn werd zes dagen voor de Tweede Kamerverkiezingen neergeschoten toen hij van het omroepgebouw naar zijn wagen stapte.

8. Salade niçoise
   De salade is genoemd naar de stad Nice.

9. Onder de naam Elton John

10. TomTom (International BV)

11. Welke Engelse lengtemaat is 91,44 centimeter lang: de yard of de mile?

12. Hoe heet de avonturier die begin 2002 samen met Alain Hubert te voet de Arctische Oceaan van Siberië naar Canada probeerde over te steken, maar na 53 dagen de poging opgaf?

13. Welke uit het Engels ontleende term betekent: 'positie die een formule 1-piloot die de snelste kwalificatietijd gereden heeft, mag innemen bij de start van een race'?

14. Aan welke Nederlandse provincie grenst de Oost-Vlaamse gemeente Maldegem?

15. Welke Luikse ontwerper met Italiaanse roots specialiseerde zich in het maken van hoeden en opende in 1988 zijn eerste hoedensalon in Brussel?

16. Welk Engels woord dat 'schilfer' betekent, is ook de naam van een dun siliciumplaatje dat duizenden elektronische schakelingen bevat?

17. Welke kleur heeft in onze streken de wintervacht van een hermelijn?

18. Hoe heet het zusje van Rozemieke in de Jommeke-strips?

19. In welke berg in South Dakota zijn de Amerikaanse presidenten Washington, Jefferson, Roosevelt en Lincoln in steen vereeuwigd?

20. Wie schreef 'Kulderzipken', de tiendelige sprookjesserie die op TV1 in première ging op 29 oktober 1995?

antwoorden

11. De yard
    De mile of Engelse mijl bedraagt 1609 meter of 1760 yard.
12. Dixie Dansercoer
    Of Dirk Dansercoer. Het ijs bleek dunner dan verwacht en er was meer open water dan voorspeld.
13. Poleposition; pole
14. Aan Zeeland
15. Elvis Pompilio
16. Chip
17. Wit
    De wintervacht van de hermelijn is bijna altijd wit, met een zwarte staartpunt. Zijn zomervacht is roodachtig bruin.
18. Annemieke
19. Mount Rushmore
20. Hugo Matthysen

21. Hoe noemt men gestremde melk, waaruit door persen kaas wordt gemaakt?

22. Wie beschreef in 1907 de machteloosheid van de kleine mens tegenover de natuur in zijn roman 'De Vlaschaard'?

23. In welk werelddeel ligt de meer dan 8000 meter hoge K2?

24. Welke Amerikaanse tennisspeler met initialen J.M. schreef een voorwoord in de biografie van Justine Henin-Hardenne die eind april 2003 verscheen?

25. Hoe heette de in 2000 gezonken Russische kernonderzeeër die in oktober 2001 door een Nederlands bergingsconsortium van de zeebodem werd gelicht?

26. Hoe heet de derde en laatste film van de 'Bourne'-trilogie, die in 2007 werd uitgebracht?

27. Hoe heet het leerboek over de liefde dat vermoedelijk in de 4de eeuw door de Indische filosoof Vatsyayana samengesteld werd?

28. Wat is de voornaam van de bekende dochter van de Nederlandse jazzsaxofonist Hans Dulfer?

29. Wat is volgens Van Dale de vrouwelijke nevenvorm van 'medicus'?

30. Welke VLD-politicus, die van 1964 tot 1971 burgemeester van Michelbeke was, werd in 2001 burgemeester van Brakel?

antwoorden

21. **Wrongel**
    Stremmen is dikker maken. De dunne vloeistof die na de kaasbereiding overblijft, is de wei.

22. **Stijn Streuvels**
    Zijn echte naam was Frank Lateur.

23. **In Azië**
    De K2 of Mount Godwin Austen is de op een na hoogste bergtop ter wereld en bevindt zich in de Himalaya. Buiten Azië zijn er trouwens geen achtduizenders.

24. **John McEnroe**

25. **(K-141) Koersk**
    De Koersk verging in de Barentszzee. Alle 118 opvarenden kwamen om het leven. De firma Mammoet-Smit haalde de onderzeeër naar de oppervlakte.

26. **The Bourne Ultimatum**
    De films zijn gebaseerd op een boek van Robert Ludlum. Matt Damon speelt de rol van Jason Bourne, een geheim agent die zijn geheugen kwijt is.

27. **De Kamasutra**
    De Kamasutra behandelt tot in de details op didactische wijze het gehele gebied van de erotiek.

28. **Candy**
    Candy Dulfer speelt net als haar vader saxofoon.

29. **Medica**

30. **Herman De Croo**
    Michelbeke ging in 1970 op in de fusiegemeente Brakel.

NOBELPRIJZEN VOOR DE LITERATUUR

1901	Sully Prudhomme
1902	Theodor Mommsen
1903	Bjørnstjerne Bjørnson
1904	Frédéric Mistral
	José Echegaray
1905	Henryk Sienkiewicz
1906	Giosuè Carducci
1907	Rudyard Kipling
1908	Rudolf Christoph Eucken
1909	Selma Lagerlöf
1910	Paul Heyse
1911	Maurice Maeterlinck
1912	Gerhart Hauptmann
1913	Rabindranath Tagore
1914	(niet toegekend)
1915	Romain Rolland
1916	Verner von Heidenstam
1917	Karl Adolph Gjellerup
	Henrik Pontoppidan
1918	(niet toegekend)
1919	Carl Spitteler
1920	Knut Hamsun
1921	Anatole France
1922	Jacinto Benavente
1923	William Butler Yeats
1924	Władysław Reymont
1925	George Bernard Shaw
1926	Grazia Deledda
1927	Henri Bergson
1928	Sigrid Undset
1929	Thomas Mann
1930	Sinclair Lewis
1931	Erik Axel Karlfeldt
1932	John Galsworthy
1933	Ivan Bunin
1934	Luigi Pirandello
1935	(niet toegekend)
1936	Eugene O'Neill
1937	Roger Martin du Gard
1938	Pearl S. Buck
1939	Frans Eemil Sillanpää
1940	(niet toegekend)
1941	(niet toegekend)
1942	(niet toegekend)
1943	(niet toegekend)
1944	Johannes Vilhelm Jensen
1945	Gabriela Mistral
1946	Hermann Hesse
1947	André Gide
1948	T. S. Eliot
1949	William Faulkner
1950	Bertrand Russell
1951	Pär Lagerkvist
1952	François Mauriac
1953	Winston Churchill
1954	Ernest Hemingway

1955	Halldór Laxness
1956	Juan Ramón Jiménez
1957	Albert Camus
1958	Boris Pasternak (weigerde de prijs)
1959	Salvatore Quasimodo
1960	Saint-John Perse
1961	Ivo Andrić
1962	John Steinbeck
1963	Giorgos Seferis
1964	Jean-Paul Sartre (weigerde de prijs)
1965	Mikhail Sholokhov
1966	Shmuel Yosef Agnon
	Nelly Sachs
1967	Miguel Ángel Asturias
1968	Yasunari Kawabata
1969	Samuel Beckett
1970	Aleksandr Solzhenitsyn
1971	Pablo Neruda
1972	Heinrich Böll
1973	Patrick White
1974	Eyvind Johnson
	Harry Martinson
1975	Eugenio Montale
1976	Saul Bellow
1977	Vicente Aleixandre
1978	Isaac Bashevis Singer
1979	Odysseas Elytis
1980	Czesław Miłosz
1981	Elias Canetti
1982	Gabriel García Márquez
1983	William Golding
1984	Jaroslav Seifert
1985	Claude Simon
1986	Wole Soyinka
1987	Joseph Brodsky
1988	Naguib Mahfouz
1989	Camilo José Cela
1990	Octavio Paz
1991	Nadine Gordimer
1992	Derek Walcott
1993	Toni Morrison
1994	Kenzaburo Oe
1995	Seamus Heaney
1996	Wisława Szymborska
1997	Dario Fo
1998	José Saramago
1999	Günter Grass
2000	Gao Xingjian
2001	V. S. Naipaul
2002	Imre Kertész
2003	J. M. Coetzee
2004	Elfriede Jelinek
2005	Harold Pinter
2006	Orhan Pamuk
2007	Doris Lessing
2008	Jean-Marie Gustave Le Clézio

NOBELPRIJZEN VOOR DE LITERATUUR

1. Welke Duitse wetenschapper ontdekte in 1905 dat energie gelijk is aan massa maal lichtsnelheid in het kwadraat?

2. Hoe heet de oude Chinese geneeswijze waarbij men gebruik maakt van naalden die op welbepaalde plaatsen in het lichaam worden gestoken?

3. Wat was de artiestennaam van Lesley Hornby, het broodmagere model dat eind jaren 60 op de catwalk defileerde?

4. In welk Europees land ligt de Opaalkust?

5. In welke film uit 1997 woont Kamiel Spiessens met zijn hond Walter op een afgelegen boerderijtje?

6. Welk hondenras is bekend als het kleinste ter wereld en heeft dezelfde naam als een deelstaat in het noorden van Mexico?

7. Welke Noorse antropoloog en avonturier, die overzeese tochten maakte met de vlotten Kon-Tiki en Ra, overleed in april 2002?

8. In welke wielerdiscipline stond Danny De Bie in de periode 1988-1994 elk jaar op het podium van het Belgisch kampioenschap voor profs?

9. Wie stond op 8 maart 2008 gelijktijdig in de Ultratop met de singles 'Dreamers and Renegades' en 'You Don't Know'?

10. Wat is de uit het Engels overgenomen naam van het teken tussen de letters 'CD' en de letter 'V ' in 'CD&V', de naam van een politieke partij?

antwoorden

1. Albert Einstein
   Albert Einstein is de grondlegger van de relativiteitstheorie. Zijn bekendste formule luidt $E = mc^2$.

2. Acupunctuur

3. Twiggy
   Twiggy is de Engelse vertaling van 'twijgje', de naam die ze kreeg omdat ze zo mager was.

4. In Frankrijk
   De Opaalkust of Côte d'Opale ligt in de Franse regio Nord-Pas-de-Calais. Ze wordt zo genoemd wegens het melkwitte schuim van de golven.

5. In 'Oesje!'
   Spiessens is een typetje van acteur Chris Van den Durpel.

6. De chihuahua
   Tot op het eind van de 19de eeuw kwam het ras trouwens alleen in Mexico voor.

7. Thor Heyerdahl
   Thor Heyerdahl overleed in Alassio, Italië, op 87-jarige leeftijd.

8. In het veldrijden; cyclocross
   Danny De Bie werd derde op het Belgisch kampioenschap in 1988 en 1989, eerste in 1990, 1991 en 1992 en tweede in 1993 en 1994.

9. Milow
   Jonathan Vandenbroeck is de echte naam van deze Belgische singer-songwriter.

10. Ampersand

11. Van welke Lulu verscheen in het najaar van 2007 het boek 'Heldere maan'?

12. Van welk merk van rekenmachientjes is 'TI' de afkorting?

13. Welk gebergte tussen de Zwarte en de Kaspische Zee volgt de zuidgrens van Rusland en is 1300 kilometer lang?

14. Van welke plant die gebruikt wordt bij het maken van bier, worden de bloemtrossen 'bellen' genoemd?

15. Welke VRT-journalist werd in 1999 volksvertegenwoordiger voor de VLD in het Europees Parlement?

16. In welke gemeente in de provincie Luik zijn de wapenfabrieken van de 'Fabrique nationale d'armes de guerre', beter gekend als FN, gevestigd?

17. In welke Vlaamse televisieserie van Maurits Balfoort uit de jaren 60 komen de personages pastoor Munte en moeder Cent voor?

18. Wie bouwde het binnengeraamte voor het Vrijheidsbeeld, dat door Frankrijk aan Amerika geschonken werd?

19. Heeft de wervelkolom van een volwassen mens meer of minder hals-wervels dan rugwervels?

20. Hoe heet de kunstenaar die beroemd werd door het verpakken van enorme gebouwen en bruggen?

antwoorden

11. Lulu Wang
    Deze Nederlandse auteur van Chinese afkomst brak door met de roman 'Het Lelietheater'.
12. Van Texas Instruments
    Op alle rekenmachientjes van Texas Instruments staat 'TI'.
13. De Kaukasus
    Het gebergte volgt de zuidgrens van Rusland met Georgië en Azerbeidzjan.
14. Van de hop; hommel
    Het zijn deze hopbellen die in de bierbrouwerij gebruikt worden. In de streek van Poperinge, waar het Hommelbier gebrouwen wordt, zegt men 'hommel' tegen 'hop'.
15. Dirk Sterckx
16. In Herstal
17. In 'Wij, heren van Zichem'
    De rol van pastoor Munte werd vertolkt door Luc Philips, die van moeder Cent door Jenny Tanghe. Het scenario was gebaseerd op de boeken van Ernest Claes.
18. Gustave Eiffel
    Hij was natuurlijk ook de architect en bouwer van de Parijse Eiffeltoren.
19. Minder
    Onze ruggengraat of wervelkolom bestaat uit onder andere zeven halswervels, twaalf rug- of borstwervels en vijf lendenwervels.
20. Christo (Javatcheff)
    Christo werd geboren in Bulgarije in 1935.

21. Welke Amerikaanse president had als tweede voornaam Delano?

22. Welke levende dieren werden vanaf de 10de eeuw door de stadsnar van op de top van het belfort van Ieper naar de feestende menigte gegooid?

23. Welke Russische scheikundige stelde in 1869 als eerste het periodiek systeem van de elementen op?

24. Welke Schotse acteur hebben de films 'The Untouchables', 'The Hunt for Red October' en 'Highlander' gemeenschappelijk?

25. Welke stad ligt niet in Duitsland: Osnabrück, Hannover of Danzig?

26. Welke Franse zanger kreeg de bijnaam 'Monsieur 100.000 Volts'?

27. Naar welke stad aan de Elbe, in het voormalige Oost-Duitsland, is een van de bekendste soorten porselein genoemd?

28. Welke voetbalclub heeft onder meer de volgende supportersclubs: 'Yellow-red Army on Wheels' en 'De Kleine Malinwa'?

29. Hoe heet de stichter van de islam?

30. Welke vrucht heet in het Latijn 'ficus'?

antwoorden

21. Franklin Delano Roosevelt
    Roosevelt was president van de USA van 1933 tot 1945.
22. Katten
    Tegenwoordig gebruikt men bij de driejaarlijkse Kattenstoet gelukkig pluchen exemplaren.
23. Dmitri Mendelejev
24. Sean Connery
25. Danzig
    'Danzig' is de Duitse naam van de havenstad Gdansk, en die ligt in Polen aan de Oostzee.
26. Gilbert Bécaud
27. Naar Meissen
    Daar werd rond 1710 een methode gevonden om écht hard porselein te maken.
28. KV Mechelen
    'De Malinwa' is de bijnaam van KV Mechelen. Geel en rood zijn de clubkleuren.
29. Mohammed
    De islam wordt ook mohammedaanse godsdienst genoemd. Moslims zien Mohammed als de ultieme profeet, die de openbaring van God zelf heeft ontvangen.
30. De vijg
    De vijg is de vrucht van de vijgenboom, die behoort tot de moerbeifamilie.

KLEUREN VAN DE REGENBOOG

Rood
Oranje
Geel
Groen
Blauw
Indigo
Violet

Ezelsbruggetje:
ROGGBIV

1. Wat is eigen haard volgens het spreekwoord waard?

2. Hoe heet het volkslied van Frankrijk?

3. Welke Amerikaan vond tijdens de vorige eeuw het vulcanisatieproces uit, waardoor vloeibaar rubber tot elastisch, vast rubber wordt omgevormd?

4. Welke in Libanon geboren zanger stond op 29 maart 2008 gelijktijdig in de Ultratop met de songs 'Happy Ending' en 'Big Girl You Are Beautiful'?

5. In welke stad ligt het kloosterpaleis Potala, de voormalige residentie van de dalai lama?

6. Tot welke klasse van de gewervelde dieren behoren de toekans?

7. Welke Belgische voetballer vocht het transfersysteem aan en werd na vijf jaar juridische strijd in september 1995 door het Europese Hof van Justitie in het gelijk gesteld?

8. Wie speelt detective Frank Drebin in de drie 'Naked Gun'-films?

9. Is tzatziki een Grieks of een Italiaans gerecht?

10. Hoe heet de grootvader van Noach die volgens de bijbel 969 jaar zou geworden zijn?

antwoorden

1. Goud
   'Eigen haard is goud waard' betekent dat het eigen huis en het eigen gezin heel kostbaar zijn.
2. La Marseillaise
   De troepen uit Marseille zongen tijdens de Franse Revolutie het lied bij hun intocht in Parijs.
3. Charles Goodyear
4. Mika
   Zijn echte naam is Michael Holbrook Penniman.
5. In Lhasa
   Lhasa is de traditionele hoofdstad van Tibet. De dalai lama is de spirituele leider van het Tibetaanse boeddhisme.
6. Tot de vogels
   De tropische toekans hebben een opvallend lange en dikke bek.
7. Jean-Marc Bosman
8. Leslie Nielsen
   De films, die uitkwamen tussen 1988 en 1994, zijn een satire op de klassieke politiefilms.
9. Een Grieks gerecht
   Tzatziki is een koude bereiding die bestaat uit yoghurt, knoflook en komkommer.
10. Metusalem; Metuselach

11. Van wat is 'wc', een benaming voor het toilet, de afkorting?

12. Welk bedrijf lanceerde eind 2006 de spelcomputer Wii in Europa?

13. In welke oceaan liggen de Bermuda-eilanden?

14. Hoe noemt men de afwisselend licht- en donkergekleurde ringen in hout met een specifiek woord?

15. Welke Spanjaard won begin juni 2008 voor de vierde maal op rij het tennistoernooi van Roland Garros?

16. Welk Antwerps torengebouw was de eerste wolkenkrabber op het Europese continent?

17. Welke film met Robert De Niro werd in 1991 in Duitsland uitgebracht als 'Kap der Angst'?

18. Welke luchthaven ten westen van de stad Londen is de grootste Londense luchthaven en wordt ook 'London Airport' genoemd?

19. Welk instrument gebruikt de arts om te luisteren naar borst- en buikorganen?

20. Welke kleur heeft de alcoholische drank Pisang Ambon?

antwoorden

11. Van 'watercloset'
12. Nintendo
    De Wii is de opvolger van de Nintendo GameCube uit 2002.
13. In de Atlantische Oceaan
14. Jaarringen; houtringen
    Ze ontstaan door een verschil in groeisnelheid in de lente, de zomer en de herfst.
    Dankzij de jaarringen kan men bomen dateren.
15. Rafael Nadal
    Hij versloeg in de finale de Zwitser Roger Federer in drie sets: 6-1, 6-3 en 6-0.
16. De Boerentoren; de KB-toren
    Hij werd in 1931 voltooid, in opdracht van de Kredietbank, die veel landbouwers als klanten had.
    Een wolkenkrabber heeft meer dan twaalf verdiepingen.
17. Cape Fear
18. Heathrow
    De andere Londense luchthavens zijn City Airport, Gatwick, Luton en Stansted.
19. Een stethoscoop
    Het onderzoek dat gebeurt met behulp van een stethoscoop noemt men een auscultatie.
20. Groen
    De likeur heeft een sterke bananensmaak; 'pisang' is trouwens Indonesisch voor 'banaan'.

21. Welke schaal wordt gebruikt om de hevigheid van een aardbeving uit te drukken?

22. In welk gebergte liggen de Galibier, de Madeleine en de Croix de Fer, cols die geregeld door de wielrenners in de Tour de France moeten worden beklommen?

23. In welke jeugdserie uit de jaren vijftig komen sergeant Garcia en de zwarte hengst Tornado voor?

24. Welke rivier stroomt door Hasselt?

25. Wie maakte in 1961 als eerste mens een volledige omwenteling om de aarde aan boord van een ruimtetuig?

26. Met een inbussleutel kan je inbusbouten vast- of losdraaien. Is zo een sleutel volgens Van Dale zeshoekig of achthoekig?

27. Welke katholieke Catalaanse architect begon in 1883 in Barcelona met de bouw van de Sagrada Familia-kathedraal?

28. Wat is de artiestennaam van de zingende broer van quizmaster Herman Van Molle?

29. Geef een synoniem van 'gangreen'.

30. Welk hulpmiddel gebruiken sportlui die aan ropeskipping doen: een bal, knotsen of een touw?

 # antwoorden

21. De schaal van Richter
    De Richterschaal is in 1935 opgesteld door de Amerikaanse seismoloog Charles Richter.
22. In de Alpen
23. In 'Zorro'
    Zorro laat bij voorkeur zijn Z-teken achter op de buik van de dikke en klungelachtige sergeant Garcia. Tornado is het zwarte paard van Zorro.
24. De Demer
25. Joeri Gagarin
    De Russische kosmonaut deed dat aan boord van de Vostok I.
26. Zeshoekig
27. Antonio Gaudi
    Gaudi heeft in Barcelona nog andere bouwwerken op zijn naam staan, zoals het stadspark Parc Güell.
28. Frank Galan
    Zijn echte naam is Frank Van Molle.
29. Koudvuur
    Ten gevolge van een snel woekerende infectie van een wonde kan het weefsel afsterven en beginnen te ontbinden. Snelle amputatie is dikwijls het enige redmiddel.
30. Een touw
    Ropeskipping is een vorm van touwtjespringen die uit Amerika komt.

DRIE MICHELINSTERREN

De Karmeliet	BRUGGE	chef Geert Van Hecke
Hof Van Cleve	KRUISHOUTEM	chef Peter Goossens

TWEE MICHELINSTERREN

Bruneau	GANSHOREN
Clos St-Denis	TONGEREN
Comme Chez Soi	BRUSSEL
Hostellerie Le Fox	DE PANNE
Hostellerie St-Nicolas	IEPER
Pastorale	REET
Sea Grill Radisson SAS	BRUSSEL
't Molentje	ZEEBRUGGE
't Zilte	MOL

1. Geef de Nederlandse titel van de Britse comedyserie
'Keeping Up Appearances'.

2. Hoe heet het toestel dat verschillende gegevens betreffende de duur,
de lengte en het verloop van een vrachtwagenrit registreert?

3. In welke taal werd in 1946 het jeugdboek 'Pippi Langkous gaat aan
boord' geschreven?

4. In 1998 werd de BBL overgenomen door de financiële groep ING.
Waarvan was 'BBL' de afkorting?

5. Onder welke naam is het 'meer van Konstanz' beter bekend?

6. Wie was de tegenspeler van Maria Schneider in de veelbesproken film
van Bernardo Bertolucci 'Last Tango in Paris'?

7. Welke vogel bestaat niet: de cowboyvogel, de geweervogel of
de dollarvogel?

8. Welke Amerikaanse heavymetalgroep bestond in de eerste jaren na zijn
oprichting begin jaren 80 uit de leden James Hetfield, Ron McGovney,
Dave Mustaine en Lars Ulrich?

9. Welk mineraal, dat de belangrijkste grondstof is voor aluminium,
ontleent zijn naam aan het Franse plaatsje Les Baux-de-Provence?

10. Is borsjtsj een Hongaars of een Russisch gerecht?

antwoorden

1. **Schone Schijn**
   In deze komische reeks zwaait de bekakte Hyacinth Bucket de plak.
2. **Tachograaf**
   Een tachygraaf, met 'y' dus, is volgens Van Dale een schrijfmachine voor kortschrift.
3. **In het Zweeds**
   De boeken over Pippi Langkous zijn van de Zweedse schrijfster Astrid Lindgren.
4. **Van 'Bank Brussel Lambert'**
   De Bank Brussel Lambert was in 1975 ontstaan uit een fusie van de Bank van Brussel en de Bank Lambert.
5. **Bodensee; Bodenmeer**
   De Bodensee ligt tussen Zwitserland, Duitsland en Oostenrijk; het Duitse Konstanz is een van de belangrijkste steden aan het meer.
6. **Marlon Brando**
7. **De cowboyvogel**
   De geweervogel is de kleinste vogel van Nieuw-Zeeland. De dollarvogel is een Australische variant van de ijsvogel; hij heeft een grote zilverkleurige vlek op de vleugel die de grootte heeft van een dollar.
8. **Metallica**
9. **Bauxiet**
   Geoloog Pierre Berthier ontdekte de delfstof in 1821 in de omgeving van Les Baux. Hij noemde ze 'alumine hydratée de Baux'. Later werd dat 'bauxite'.
10. **Een Russisch gerecht**
    Borsjtsj is een Russische bietensoep met zure room.

11. Welke wielerklassieker is het oudst: Luik-Bastenaken-Luik of de Ronde van Vlaanderen?

12. Welk woord ontbreekt in deze slogan van mobilofoonoperator Base: 'Freedom of …'?

13. Welke Studio 100-kabouter heet in het Frans 'le lutin Dordebou'?

14. In welk land liggen de steden Sapporo, Osaka en Kyoto?

15. Welke kleur hebben de bloemblaadjes van speenkruid?

16. Wat vangen hoge bomen volgens het spreekwoord?

17. Op welke planeet in ons zonnestelsel is de valversnelling gemiddeld 9,81 meter per seconde kwadraat?

18. Hoe vaak komt de steen 4-4 voor in een volledig spel dominostenen?

19. Welke in 1840 geboren Franse impressionist maakte heel wat schilderijen van de waterlelie in zijn tuin te Giverny?

20. Welke Franse piloot vloog op 25 juli 1909 met een motorvliegtuig als eerste over het Kanaal en verwierf daardoor naam als luchtvaartpionier?

antwoorden

11. Luik-Bastenaken-Luik
Het is de oudste wielerklassieker. 'La Doyenne', 'de ouderdomsdeken', is dan ook de bijnaam van deze koers die al sinds 1892 verreden wordt. De Ronde van Vlaanderen bestaat nog maar sinds 1913.

12. Speech

13. Kabouter Lui
'Dordebou' lees je als 'dort debout', 'slaapt rechtop'.

14. In Japan

15. Geel
Speenkruid is een voorjaarsbloeier uit de ranonkelfamilie, die vooral op vochtige en schaduwrijke plaatsen groeit.

16. Veel wind
'Hoge bomen vangen veel wind' betekent dat iemand die een hoge functie bekleedt, veel kritiek te verduren krijgt.

17. Op de aarde
De valversnelling is de versnelling van vrij vallende lichamen, de versnelling van de zwaartekracht dus. Die is afhankelijk van de massa van de planeet.

18. Eén keer
Een dominospel bestaat uit 28 verschillende stenen, van 0-0 tot en met 6-6 met alle mogelijke tussenliggende combinaties.

19. Claude Monet
Claude Monet vestigde zich in 1883 in Giverny, waar zijn woonhuis en tuin nu voor het publiek zijn opengesteld.

20. Louis Blériot
Zijn vlucht van Calais naar Dover duurde 37 minuten.

21. Staan de 'a', 'e', 'i', 'o' en 'u' op een azertyklavier allemaal op dezelfde horizontale rij?

22. Welk Brits popduo bracht in de jaren 80 de albums 'The Hurting', 'Songs from the Big Chair' en 'The Seeds of Love' uit?

23. Welke rivier ontspringt in het Noord-Franse Lisbourg en stroomt door Deinze?

24. Worden dvd's gelezen met laserstralen of met infraroodstralen?

25. Welke Jude speelde hoofdrollen in 'The Talented Mr. Ripley', 'Cold Mountain' en 'Alfie'?

26. Hoe noemt men in de wiskunde in één woord de 'tweede macht'?

27. Welke Duitse kruidenlikeur wordt verkocht in groene flessen en heeft een hert in zijn logo?

28. Welke partizanenleider schopte het eerst tot maarschalk, dan tot premier en uiteindelijk tot president voor het leven van Joegoslavië?

29. Welke Amerikaanse basketballer trouwde op 13 juli 2007 met Kim Clijsters?

30. Hoeveel witte toetsen bevinden zich op een piano tussen een fa en de daaropvolgende sol?

ANTWOORDEN

21. Ja
    Alle klinkers staan op de bovenste rij van de lettertekens.
22. Tears For Fears
23. De Leie
    De Leie komt in Menen over de grens en mondt in Gent in de Schelde uit. In het Frans wordt ze 'Lys' genoemd.
24. Met laserstralen
    Infraroodstralen worden onder meer gebruikt voor de afstandsbediening van een tv-toestel.
25. Jude Law
    Deze Britse acteur werd in 1972 geboren.
26. Kwadraat
    Men zegt ook wel 'in het vierkant'. Een getal wordt hierbij met zichzelf vermenigvuldigd.
27. Jägermeister
    In Jägermeister zijn meer dan vijftig verschillende kruiden verwerkt.
28. Tito; Josip Broz
    Hij overleed in 1980.
29. Brian Lynch
    In 2008 kreeg hij de Belgische nationaliteit en ging hij spelen voor de Antwerp Giants.
30. Geen

Bovenal bemin één God

Zweer niet ijdel, vloek noch spot

Heilig steeds de dag des Heren

Vader, moeder zult gij eren

Dood niet, geef geen ergernis

Doe niet wat onkuisheid is

Vlucht het stelen en bedriegen

Ook de achterklap en 't liegen

Wees steeds kuis in uw gemoed

En begeer nooit iemands goed

DE TIEN GEBODEN IN VERSVORM

1. Welke andere vloerbedekking vorm je met de letters van 'karpet'?

2. In welk sportprogramma op Eén werd tijdens het seizoen 2007-2008 de 'Pinanti is Pinanti Cup' uitgezonden, een talentenjacht voor jonge voetballertjes?

3. Welke stripreeks van Lambil en Cauvin over de Amerikaanse burgeroorlog verscheen in het Frans met als titel 'Les Tuniques Bleues'?

4. In welk Amerikaans land liggen de provincies Matanzas en La Habana?

5. Hoe noemen biologen een aaneengesloten groep vissen?

6. Wie speelde hoofdrollen in '9 1/2 weeks', 'Year of the Dragon' en 'Wild Orchid'?

7. Welke Nederlandse zangeres bracht op 19 maart 2008 in het Sportpaleis haar hits 'Girl', 'It's So Hard' en 'Sacrifice'?

8. Is minestrone in Italië een soep, een slaatje of een dessert?

9. In welke Amerikaanse stad volgde de republikeinse miljardair Michael Bloomberg Rudy Giuliani op als burgemeester?

10. Welke Zwitserse tennisspeelster sloot tijdens haar carrière driemaal het jaar af als de nummer één van de wereld?

antwoorden

1. Parket
2. In 'Studio 1'
   'Pinanti is pinanti' is een stilaan legendarische uitspraak van KV Kortrijk-trainer Wim Reijers uit 1983.
3. De Blauwbloezen
4. In Cuba
   Matanzas is de grootste provincie. De hoofdstad van de provincie La Habana is de Cubaanse hoofdstad La Habana of Havana.
5. Een school
6. Mickey Rourke
7. Anouk (Teeuwe)
8. Een soep
   Minestrone is een dikke Italiaanse groentesoep met rijst of pasta en Parmezaanse kaas.
9. In New York
   Rudolph Giuliani kwam eerder in de belangstelling naar aanleiding van zijn kordate optreden na de aanval op de WTC Towers.
10. Martina Hingis
    De eerste keer deed ze dat in 1997, de laatste keer in 2000.

11. Hoe noemt men de opgelegde zwijgplicht bij de maffia?

12. Van welke Belgische stad is de Duitse naam Lüttich?

13. Welk Canadees circusgezelschap begon op 5 april 2008 in het Sportpaleis met de opvoeringen van de show 'Delirium'?

14. Waarvoor staat de afkorting 'IMF' in verband met het internationale betalingsverkeer?

15. Welke nationaliteit had de ingenieur Zénobe Gramme, die in 1868 de dynamo uitvond?

16. Op de Olympische Spelen van 2000 in Sydney behaalden Miguel Martinez goud, Filip Meirhaeghe zilver en Christophe Sauser brons in dezelfde discipline. Welke wielerdiscipline was dat?

17. Wat was de enige kwetsbare plek van de Griekse held Achilles?

18. Is het verkeersbord A27, dat de mogelijke doortocht van groot wild aangeeft, driehoekig of rond?

19. Hoe heette de kunststroming die in 1948 in Parijs ontstond en waarvan de oprichters uit Kopenhagen, Brussel en Amsterdam kwamen?

20. Hoe noem je met een woord van vijf letters een bijenhouder?

antwoorden

11. Omerta
Spijtoptanten zijn personen die de omerta doorbreken.

12. Van Luik; Liège

13. Cirque du Soleil

14. Internationaal Monetair Fonds; International Monetary Fund

15. De Belgische
Hij werd geboren in Jehay, in de provincie Luik.

16. Mountainbiken; cross-country

17. De hiel
Hij was onkwetsbaar sinds zijn moeder hem na zijn geboorte ondergedompeld had in het water van de onderwereld. Ze hield hem vast bij zijn hiel en dat werd dus zijn enige kwetsbare plek.

18. Driehoekig
Het gevaarsbord A27 bestaat uit een rode driehoek met daarin op een witte achtergrond de afbeelding van een hert.

19. Cobra
De naam 'Cobra' is een samenvoeging van de beginletters van die drie steden. De Nederlander Karel Appel was de bekendste vertegenwoordiger van Cobra.

20. Imker

21. Hoe heeten de eenogige reuzen uit de Griekse mythologie?

22. Hoe noem je met een uit het Engels overgenomen woord de lange, in elkaar gekroesde lokken, in het bijzonder gedragen door rastafari's?

23. Welke Vlaamse auteur creëerde de figuur Guggenheimer?

24. Hoe noemen artsen de ontsteking van het bindweefsel onder de huid, waarvan de uiterlijke verschijningsvorm ook wel 'sinaasappelhuid' wordt genoemd?

25. Welke Vlaamse zanger had in 1968 een hit met 'Zo mooi, zo blond en zo alleen'?

26. Welk land is ingesloten door China en Rusland?

27. Welke psychologische thriller uit 1991 eindigt met een telefoontje van Hannibal Lecter naar Clarice Starling?

28. Van wat is de 'R' de afkorting in 'RAF', de naam van een linkse terroristische groep die eind jaren 60 in de Bondsrepubliek Duitsland ontstond?

29. Wie richtte in 1906 de Battle Creek Toasted Corn Flake Company op? Zijn naam is nog steeds een begrip in de wereld van de cornflakes.

30. Welke Olivier werd in 1995 voorzitter van het FDF?

antwoorden

21. Cyclopen
    Bij Homeros zijn de cyclopen een woest volk van menseneters.
22. Dreadlocks
23. Herman Brusselmans
    Guggenheimer is de hoofdfiguur in 'De terugkeer van Bonanza', 'Guggenheimer wast witter' en 'Uitgeverij Guggenheimer'.
24. Cellulitis
25. Jimmy Frey
    Zijn echte naam is Ivan Moerman.
26. Mongolië
27. The Silence of the Lambs
    'The Silence of the Lambs' is een film met Anthony Hopkins en Jodie Foster.
28. Rote
    'RAF' is de afkorting van 'Rote Armee Fraktion', de naam van een door Andreas Baader en Ulrike Meinhof gestichte groepering.
29. Will Kellogg
30. Olivier Maingain

TOURWINNAARS

1903	Maurice Garin	FRANKRIJK
1904	Henri Cornet	FRANKRIJK
1905	Louis Trousselier	FRANKRIJK
1906	René Pottier	FRANKRIJK
1907	Lucien Petit-Breton	FRANKRIJK
1908	Lucien Petit-Breton	FRANKRIJK
1909	François Faber	LUXEMBURG
1910	Octave Lapize	FRANKRIJK
1911	Gustave Garrigou	FRANKRIJK
1912	Odile Defraye	BELGIË
1913	Philippe Thys	BELGIË
1914	Philippe Thys	BELGIË
1919	Firmin Lambot	BELGIË
1920	Philippe Thys	BELGIË
1921	Léon Scieur	BELGIË
1922	Firmin Lambot	BELGIË
1923	Henri Pélissier	FRANKRIJK
1924	Ottavio Bottecchia	ITALIË
1925	Ottavio Bottecchia	ITALIË
1926	Lucien Buysse	BELGIË
1927	Nicolas Frantz	LUXEMBURG
1928	Nicolas Frantz	LUXEMBURG
1929	Maurice De Waele	BELGIË
1930	André Leducq	FRANKRIJK
1931	Antonin Magne	FRANKRIJK
1932	André Leducq	FRANKRIJK
1933	Georges Speicher	FRANKRIJK
1934	Antonin Magne	FRANKRIJK
1935	Romain Maes	BELGIË
1936	Sylvère Maes	BELGIË
1937	Roger Lapébie	FRANKRIJK
1938	Gino Bartali	ITALIË
1939	Sylvère Maes	BELGIË
1947	Jean Robic	FRANKRIJK
1948	Gino Bartali	ITALIË
1949	Fausto Coppi	ITALIË
1950	Ferdi Kübler	ZWITSERLAND
1951	Hugo Koblet	ZWITSERLAND
1952	Fausto Coppi	ITALIË
1953	Louison Bobet	FRANKRIJK
1954	Louison Bobet	FRANKRIJK
1955	Louison Bobet	FRANKRIJK
1956	Roger Walkowiak	FRANKRIJK
1957	Jacques Anquetil	FRANKRIJK
1958	Charly Gaul	LUXEMBURG
1959	Federico Bahamontes	SPANJE
1960	Gastone Nencini	ITALIË
1961	Jacques Anquetil	FRANKRIJK
1962	Jacques Anquetil	FRANKRIJK

1963	Jacques Anquetil	FRANKRIJK
1964	Jacques Anquetil	FRANKRIJK
1965	Felice Gimondi	ITALIË
1966	Lucien Aimar	FRANKRIJK
1967	Roger Pingeon	FRANKRIJK
1968	Jan Janssen	NEDERLAND
1969	Eddy Merckx	BELGIË
1970	Eddy Merckx	BELGIË
1971	Eddy Merckx	BELGIË
1972	Eddy Merckx	BELGIË
1973	Luis Ocaña	SPANJE
1974	Eddy Merckx	BELGIË
1975	Bernard Thévenet	FRANKRIJK
1976	Lucien Van Impe	BELGIË
1977	Bernard Thévenet	FRANKRIJK
1978	Bernard Hinault	FRANKRIJK
1979	Bernard Hinault	FRANKRIJK
1980	Joop Zoetemelk	NEDERLAND
1981	Bernard Hinault	FRANKRIJK
1982	Bernard Hinault	FRANKRIJK
1983	Laurent Fignon	FRANKRIJK
1984	Laurent Fignon	FRANKRIJK
1985	Bernard Hinault	FRANKRIJK
1986	Greg LeMond	VERENIGDE STATEN
1987	Stephen Roche	IERLAND
1988	Pedro Delgado	SPANJE
1989	Greg LeMond	VERENIGDE STATEN
1990	Greg LeMond	VERENIGDE STATEN
1991	Miguel Indurain	SPANJE
1992	Miguel Indurain	SPANJE
1993	Miguel Indurain	SPANJE
1994	Miguel Indurain	SPANJE
1995	Miguel Indurain	SPANJE
1996	Bjarne Riis	DENEMARKEN
1997	Jan Ullrich	DUITSLAND
1998	Marco Pantani	ITALIË
1999	Lance Armstrong	VERENIGDE STATEN
2000	Lance Armstrong	VERENIGDE STATEN
2001	Lance Armstrong	VERENIGDE STATEN
2002	Lance Armstrong	VERENIGDE STATEN
2003	Lance Armstrong	VERENIGDE STATEN
2004	Lance Armstrong	VERENIGDE STATEN
2005	Lance Armstrong	VERENIGDE STATEN
2006	Óscar Pereiro	SPANJE
2007	Alberto Contador	SPANJE
2008	Carlos Sastre	SPANJE

1. Welke Henri stichtte samen met zijn vrouw Maria Catharina Lemmens in 1886 een bedrijf dat mayonaise en andere sauzen produceert?

2. Van wat zijn de letters 'AVV-VVK', die als inscriptie voorkomen op de IJzertoren, de afkorting?

3. In welk Noord-Amerikaans land wordt het bier Tijuana Morena gebrouwen?

4. Welk Russisch volksinstrument heeft een lange hals, drie snaren en een driehoekige klankkast?

5. Is een doffer een mannetjes- of een vrouwtjesduif?

6. Hoe luidt de voornaam van juffrouw Lewinsky, die in 1998 voor een 'grand jury' getuigde over haar amoureuze relatie met president Clinton?

7. Hoe heet de Monty Python-film waarin het leven van Jezus geparodieerd wordt?

8. Welke vloeistof heb je – volgens 'Ons kookboek' van de KVLV – naast vetstof en bloem nodig om een witte saus te maken?

9. Welke Free vertolkt de rol van Mega Mindy in de gelijknamige Ketnet-reeks?

10. In welke wintersport maken de deelnemers soms een telemarklanding?

antwoorden

1. **Henri Devos**
   De firma Devos Lemmens begon met het ambachtelijk vervaardigen van pickles, augurken en uitjes op azijn. In 1920 werd het assortiment uitgebreid met mayonaise en sauzen.
2. **Van 'Alles voor Vlaanderen – Vlaanderen voor Kristus'**
3. **In Mexico**
   Tijuana Morena is een donker bier met een alcoholgehalte van 4,5 procent. Tijuana is een miljoenenstad aan de grens met de VS.
4. **De balalaika**
5. **Een mannetjesduif**
6. **Monica**
   Het was over haar dat Clinton voor de camera's zei: 'I never had sex with that woman.'
7. **Life of Brian**
   Voluit 'Monty Python's Life of Brian'.
8. **Melk**
9. **Free Souffriau**
10. **In het schansspringen**
    Ook 'skispringen' genoemd. Bij een telemarklanding neemt de atleet een bepaalde houding aan om te remmen of van richting te veranderen. Deze skihouding werd genoemd naar de Noorse provincie Telemark.

11. Hoe heette het Greenpeace-schip dat door de Franse geheime dienst in 1985 in de Nieuw-Zeelandse havenstad Auckland werd opgeblazen?

12. Welke zeeman kan je vormen met de letters van 'motor' en 'as'?

13. Wat is de afkorting van 'Hollandsche Eenheidsprijzen Maatschappij Amsterdam', de naam van een Nederlandse warenhuisketen?

14. In welke Vlaamse provincie liggen de gemeenten Alveringem en Anzegem?

15. Wie schreef het kookboek 'Jamie at Home' dat in 2007 verscheen?

16. Op 31 mei 1992 werd in België een vzw opgericht die streeft naar de erkenning van dierenrechten. Hoe heet deze vzw?

17. In welke Oost-Vlaamse stad werd Anny De Maght in januari 2008 door minister Marino Keulen tot ereburgemeester benoemd?

18. Welk getal krijg je als je de postnummers van Leuven en Gent bij elkaar optelt?

19. Welke Gentse kunsthistoricus, conservator en curator organiseerde de tentoonstellingen 'Documenta 1992', 'Chambres d'amis' en 'Over the Edges'?

20. Van welk automerk is de Cayman S een model?

antwoorden

11. Rainbow Warrior
12. Matroos
13. HEMA
14. In West-Vlaanderen
    Alveringem ligt in de Westhoek, Anzegem in het arrondissement Kortrijk.
15. Jamie Oliver
    Jamie Oliver is een Britse kok die verschillende kookboeken schreef.
16. GAIA
    Voluit 'Global Action in the Interest of Animals'. Michel Vandenbosch is de frontman van GAIA.
17. In Aalst
    De Maght was van 1989 tot 2006 burgemeester van Aalst.
18. 12.000
    Het postnummer van Leuven is 3000, dat van Gent 9000.
19. Jan Hoet
    Hij was ook de bezieler van het Gentse Stedelijk Museum voor Actuele Kunst.
20. Van Porsche

21. Welke bergtop in de Himalaya werd op 29 mei 1953 door de Nieuw-Zeelander Edmund Hillary en zijn Nepalese sherpagids Tenzing Norgay bedwongen?

22. Cryptogram: welke vinger kleurt roze in het Engels?

23. Wie is in een roman van Miguel de Cervantes de baas van Sancho Panza?

24. Door wie werd Raymond Goethals in 1976 opgevolgd als trainer van de nationale Belgische voetbalploeg?

25. Welk ex-lid van The Velvet Underground had in 1973 een hit met 'Walk on the Wild Side'?

26. Welk lichaamsdeel kan getroffen worden door myopie?

27. Ligt Ecuador op de evenaar?

28. Welke Amerikaanse regisseur bracht in 2007 'Sicko' uit, een documentaire over de Amerikaanse gezondheidszorg?

29. Welk woord staat naast 'égalité' en 'fraternité' op het Franse staats- wapen?

30. Op welke ringweg staat er tijdens de avondspits heel dikwijls een file tussen Wemmel en Zellik?

antwoorden

21. De Mount Everest
   Ook Sagarmatha of Chomolungma, zoals de berg in respectievelijk Nepal en Tibet heet.
22. De pink
   'Pink' is Engels voor 'roze'.
23. Don Quichot
   'Don Quichot van La Mancha' is een meesterwerk uit de Spaanse literatuur.
24. Door Guy Thys
   Het is onder Guy Thys dat de Rode Duivels fraaie resultaten behaalden op het EK 1980 (verloren finale tegen Duitsland) en het WK 1986 (verloren halve finale tegen Argentinië).
25. Lou Reed
26. De ogen
   Myopie is bijziendheid: alleen voorwerpen dichtbij worden scherp waargenomen.
27. Ja
   De Spaanse naam 'Ecuador' betekent trouwens 'evenaar'.
28. Michael Moore
   Michael Moore maakte ook de documentaire 'Fahrenheit 9/11' over de oorzaken en gevolgen van de terreuraanslagen van 11 september 2001.
29. Liberté
30. Op de Brusselse Ring; RO

FORMULE 1

JAAR	WERELDKAMPIOEN	TEAM	MOTOR
1950	Nino Farina	Alfa Romeo	Alfa Romeo
1951	Juan Manuel Fangio	Alfa Romeo	Alfa Romeo
1952	Alberto Ascari	Ferrari	Ferrari
1953	Alberto Ascari	Ferrari	Ferrari
1954	Juan Manuel Fangio	Maserati en Mercedes	Maserati en Mercedes
1955	Juan Manuel Fangio	Mercedes	Mercedes
1956	Juan Manuel Fangio	Ferrari	Ferrari
1957	Juan Manuel Fangio	Maserati	Maserati
1958	Mike Hawthorn	Ferrari	Ferrari
1959	Jack Brabham	Cooper	Climax
1960	Jack Brabham	Cooper	Climax
1961	Phil Hill	Ferrari	Ferrari
1962	Graham Hill	BRM	BRM
1963	Jim Clark	Lotus	Climax
1964	John Surtees	Ferrari	Ferrari
1965	Jim Clark	Lotus	Climax
1966	Jack Brabham	Brabham	Repco
1967	Denny Hulme	Brabham	Repco
1968	Graham Hill	Lotus	Ford
1969	Jackie Stewart	Matra	Ford
1970	Jochen Rindt	Lotus	Ford
1971	Jackie Stewart	Tyrrell	Ford
1972	Emerson Fittipaldi	Lotus	Ford
1973	Jackie Stewart	Tyrrell	Ford
1974	Emerson Fittipaldi	McLaren	Ford
1975	Niki Lauda	Ferrari	Ferrari
1976	James Hunt	McLaren	Ford
1977	Niki Lauda	Ferrari	Ferrari
1978	Mario Andretti	Lotus	Ford
1979	Jody Scheckter	Ferrari	Ferrari

JAAR	WERELDKAMPIOEN	TEAM	MOTOR
1980	Alan Jones	Williams	Ford
1981	Nelson Piquet	Brabham	Ford
1982	Keke Rosberg	Williams	Ford
1983	Nelson Piquet	Brabham	BMW
1984	Niki Lauda	McLaren	TAG
1985	Alain Prost	McLaren	TAG
1986	Alain Prost	McLaren	TAG
1987	Nelson Piquet	Williams	Honda
1988	Ayrton Senna	McLaren	Honda
1989	Alain Prost	McLaren	Honda
1990	Ayrton Senna	McLaren	Honda
1991	Ayrton Senna	McLaren	Honda
1992	Nigel Mansell	Williams	Renault
1993	Alain Prost	Williams	Renault
1994	Michael Schumacher	Benetton	Ford
1995	Michael Schumacher	Benetton	Renault
1996	Damon Hill	Williams	Renault
1997	Jacques Villeneuve	Williams	Renault
1998	Mika Häkkinen	McLaren	Mercedes
1999	Mika Häkkinen	McLaren	Mercedes
2000	Michael Schumacher	Ferrari	Ferrari
2001	Michael Schumacher	Ferrari	Ferrari
2002	Michael Schumacher	Ferrari	Ferrari
2003	Michael Schumacher	Ferrari	Ferrari
2004	Michael Schumacher	Ferrari	Ferrari
2005	Fernando Alonso	Renault	Renault
2006	Fernando Alonso	Renault	Renault
2007	Kimi Räikkönen	Ferrari	Ferrari
2008	Lewis Hamilton	McLaren	Mercedes

1. Hoeveel sterren telt de vlag van de Europese Unie?

2. Welke maximumsnelheid staat op de verkeersborden die bij smogalarm worden opengeklapt langs Vlaamse snelwegen?

3. Op welk loopnummer brak Miel Puttemans in 1972 het wereldrecord met een tijd van 13 minuten en 13 seconden?

4. In welk Duits industriegebied bevinden zich de steden Duisburg, Essen en Oberhausen?

5. Behalve de zwarte specht leeft er in ons land nog een specht waarvan de naam zijn kleur aangeeft. Welke specht is dat?

6. Welke Nederlandse acteur brak in Amerika door met zijn filmrollen in 'Blade Runner', 'Blind Fury' en 'The Hitcher'?

7. Hoe noem je in algemeen Nederlands de zoon van de zus van je vader?

8. Welke feestdag wordt in het Frans 'Armistice' genoemd?

9. Welke ontdekkingsreiziger sprak ooit de beroemde woorden: 'Doctor Livingstone, I presume'?

10. Wat is het beroep van Cliff Clavin, een van de beste klanten van café Cheers in de gelijknamige tv-serie?

anTwoorDen

1. Twaalf
   Twaalf goudgele sterren op een azuurblauwe achtergrond.
2. 90 (kilometer per uur)
3. Op de 5000 meter
   Puttemans liep de nieuwe wereldtijd in het Heizelstadion op 20 september 1972.
4. In het Ruhrgebied
   Het gebied dankt zijn naam aan de rivier de Ruhr, die bij Duisburg in de Rijn uitmondt.
5. De groene specht
   Er bestaan ook bonte spechten (die zijn zwart, wit en rood), maar bont is geen kleur.
6. Rutger Hauer
7. Neef
   'Kozijn' is volgens Van Dale 'Belgisch-Nederlands', dus niet algemeen.
8. Wapenstilstand
   Elk jaar wordt op 11 november de wapenstilstand op het einde van de Eerste Wereldoorlog herdacht.
9. Henry Morton Stanley
   Stanley kreeg de opdracht David Livingstone op te sporen in het Afrikaanse binnenland. Hij vond hem in 1871 aan het Tanganyikameer en zei laconiek: 'Dokter Livingstone, veronderstel ik.'
10. Postbode
    Het personage wordt vertolkt door John Ratzenberger.

11. Wordt een gerecht 'à la florentine' bereid met bloemkool, spinazie of artisjokken?

12. Welke Britse zangeres stond op 15 maart 2008 in de Ultratop met drie songs: 'Valerie', 'Rehab' en 'Back to Black'?

13. Welke rivier verdeelt Parijs in een Rive droite en een Rive gauche?

14. In welke wereldberoemde roman van Herman Melville komen de personages kapitein Ahab, Ismaël en Queequeeg voor?

15. Welke specerij wordt bekomen uit de gedroogde zaadmantel die rond de muskaatnoot zit?

16. Door welke Romeinse militair werd de Antwerpse reus Antigoon verslagen volgens een legende?

17. Welke Romeinse zanger brak in de jaren 90 ook bij ons door met het nummer 'Se Bastasse una Canzone' en het album 'Musica é'?

18. Hoe noemt de Amerikaanse Callan Pinckney de serie gymoefeningen die zij ontwikkeld heeft?

19. Welke Spanjaard werd in 1980 voorzitter van het Internationaal Olympisch Comité en bleef het tot in 2001?

20. Hoeveel kaarten krijgt elke speler bij het begin van een spelletje whist?

ANTWOORDEN

11. Met spinazie
 In het Italiaans is dat 'alla Fiorentina', verwijzend naar de stad Firenze.
12. Amy Winehouse
13. De Seine
 De Rive droite ligt ten noorden van de Seine, de Rive gauche ten zuiden.
14. Moby Dick
 Het boek gaat over de jacht op een mythische walvis.
15. Foelie
 De sliertjes van de zaadmantel worden na het drogen geel-oranje. Het aroma van foelie is subtieler dan dat van nootmuskaat.
16. (Silvius) Brabo
17. Eros Ramazzotti
18. Callanetics
 Callanetics is een oefenprogramma waarbij de spieren gestimuleerd worden door zachte en steeds herhaalde bewegingen.
19. Juan Antonio Samaranch
 Hij werd opgevolgd door de Belg Jacques Rogge.
20. Dertien

21. Door welke financiële groep werd de Bank Brussel Lambert in 1998 overgenomen?

22. Welke dichter uit Roeselare deelt zijn naam met een roodbruin bier uit dezelfde stad?

23. Welke onafhankelijke republiek wordt door de Straat van Mozambique van de Afrikaanse oostkust gescheiden?

24. Welk bot of been bevindt zich tussen de heupkom en de knieschijf?

25. Wie speelt de vrouwelijke hoofdrol in 'Licht', een film van Stijn Coninx?

26. Welke groep had een grote hit in 1979 met 'I Don't Like Mondays'?

27. Welke tragische vorst bouwde de kastelen van Neuschwanstein, Hohenschwangau, Linderhof en Herrenchiemsee?

28. Welke Johan was onder andere trainer van Racing Genk en Anderlecht en van de nationale voetbalploegen van Georgië en Koeweit?

29. Welke stad was hoofdstad van Brazilië voor Brasília dat in 1960 werd?

30. Welk bedrijf, dat een internetzoekmachine uitbaat, nam in 2006 de internetsite YouTube over?

antwoorden

21. Door ING
   Internationale Nederlanden Groep
22. Albrecht Rodenbach
   De eerste brouwers van het licht zurige Rodenbachbier waren trouwens familie van de schrijver.
23. Madagaskar
   Madagaskar is een eilandstaat in de Indische Oceaan.
24. Het dijbeen; het femur
25. Francesca Vanthielen
   De film gaat over een romance op het eiland Spitsbergen.
26. The Boomtown Rats
27. Ludwig II van Beieren
   Hij was koning van Beieren van 18864 tot 1886.
28. Johan Boskamp
29. Rio de Janeiro
   Rio had het statuut van hoofdstad gekregen toen Brazilië in 1822 onafhankelijk werd van Portugal.
30. Google

TRAPPISTENBIEREN

Achel	De Achelse Kluis	HAMONT-ACHEL
Chimay	Abbaye de Scourmont	CHIMAY
La Trappe	Abdij Koningshoeven	BERKEL-ENSCHOT (NL)
Orval	Abbaye d'Orval	VILLERS-DEVANT-ORVAL
Rochefort	Abbaye Notre-Dame de Saint-Rémy	ROCHEFORT
Westmalle	Abdij van Onze-Lieve-Vrouw van het Heilig Hart	WESTMALLE
Westvleteren	Sint-Sixtusabdij	WESTVLETEREN

1. Wat levert een pyrotechnicus bij grote feesten?

2. Onder welke naam zijn Athos, Porthos en Aramis in de literatuur bekend?

3. Welke in 1965 in Canada geboren Linda groeide uit tot een topmodel in de modewereld?

4. Met welk land heeft Japan een grens?

5. Welke dieren voeren een tiranniek bewind op de boerderij in 'Animal Farm', een boek van George Orwell uit 1945?

6. Van welk Germaans volk was Clovis de belangrijkste koning?

7. In welke film van Federico Fellini neemt het personage van Anita Ekberg een douche in de Romeinse Trevifontein?

8. Welke balsport beoefent de Belgische vrouwenploeg die de 'Belgian Cats' wordt genoemd?

9. Hoeveel van de zeven eurobiljetten hebben een waarde van minstens 20 euro?

10. Welke Oost-Vlaming werd op 25 juni 1989 tot voorzitter van de PVV verkozen nadat Annemie Neyts haar kandidatuur ingetrokken had?

 ## antwoorden

1. Vuurwerk
2. Onder de naam 'De drie musketiers'
   Samen met D'Artagnan zijn ze de hoofdpersonages in het boek 'Les Trois Mousquetaires' van Alexandre Dumas.
3. Linda Evangelista
   Zij werd geboren in Saint Catherines in de Canadese provincie Ontario.
4. Met geen enkel
   Japan bestaat uitsluitend uit eilanden.
5. Varkens
   De heersende klasse predikt er dan ook 'Alle dieren zijn gelijk, maar de varkens zijn meer gelijk dan de andere.'
6. Van de Franken
   De Franken sijpelden vanaf de 5de eeuw het Romeinse Rijk binnen. Hun eerste hoofdstad was Doornik.
7. In 'La Dolce Vita'
   De film gaat over een journalist, gespeeld door Marcello Mastroianni, die zich onderdompelt in het leven van de Romeinse beau monde.
8. Basketbal
9. Vijf
   Namelijk de biljetten van 20, 50, 100, 200 en 500 euro.
10. Guy Verhofstadt
    Als enige kandidaat voor het voorzitterschap kreeg hij 85 procent van de stemmen op het PVV-congres.

11. Uit welke Nederlandse televisieserie komen de woorden 'Keizer, zoek jij dat even op?' en 'D'r uit de Cock!'?

12. Welke nationaliteit hebben de meeste Parmezanen?

13. De hoeveelste symfonie van Ludwig van Beethoven wordt besloten met de 'Ode an die Freude', op tekst van Friedrich Schiller?

14. Hoe heet de door Alberic Florizoone in 1935 gestichte onderneming die zich specialiseerde in de productie van honingproducten?

15. Op welke eilandengroep bestudeerde Charles Darwin de achteraf naar hem genoemde darwinvinken?

16. Hoe heette de zeer sociaal voelende Waalse pater die in 1958 de Nobelprijs voor de Vrede in ontvangst mocht nemen?

17. Hoe noemt men met een Engelse term de wielerdiscipline waarbij men over een grote afstand in het zog van een gangmaker en diens motor rijdt?

18. Wat is het Italiaanse woord voor 'wraak' dat we vooral uit het maffiajargon kennen?

19. Welk hormoon, dat het glucosegehalte van het bloed verlaagt, wordt in de alvleesklier geproduceerd?

20. Welke Tine speelde de rol van 'ons Irene' in 'De Show van Bosmans Jos', een rubriek in het tv-programma 'Het Peulengaleis' van Bart Peeters en Hugo Matthysen?

 # antwoorden

11. Uit 'Baantjer'
    Jurriaan de Cock is de politie-inspecteur in de reeks, Albert Keizer is de computerexpert.
12. De Italiaanse
    Een Parmezaan is een inwoner van de Italiaanse stad Parma.
13. De negende
    Deze ode is sinds 1985 het officiële volkslied van de Europese Unie.
14. Meli
    Hij bouwde ook het Melipark in Adinkerke, dat helemaal rond het thema bijen en honing draaide.
15. Op de Galápagoseilanden
16. Georges Pire; père Dominique Pire
    Deze dominicaan uit Dinant zette zich sterk in voor vluchtelingen tijdens en na de Tweede Wereldoorlog en was de bezieler van de organisatie Vredeseilanden.
17. Stayeren; achter derny rijden
    De motorrijder heeft een bijna staande houding, vandaar de term 'stayer'. Zo vangt hij immers de meeste wind. Derny is het bekendste merk van gangmaakmotoren.
18. Vendetta
19. Insuline
    Het wordt meer bepaald gevormd in de eilandjes van Langerhans, vandaar de naam 'insuline' ('insula' betekent 'eiland'). Een tekort aan insuline leidt tot suikerziekte of diabetes.
20. Tine Embrechts

21. In welk werelddeel ligt Ushuaïa, de meest zuidelijk gelegen stad ter wereld?

22. Van welke vruchten wordt de alcoholische drank slivovitsj gemaakt?

23. Waarvoor is iemand bang die aan kynofobie lijdt?

24. Welke groep brak in 1978 door met de hit 'Sultans of Swing'?

25. Welke kleur heeft de haan op de officiële vlag van de Franse Gemeenschap in België?

26. In welk Vlaamse televisieserie uit 2006 schopt Stan het tot Europees bokskampioen, maar krijgt hij dan te maken met de maffia?

27. Bij welke Duitse club beëindigde voetballer Marc Wilmots in 2002 zijn spelerscarrière?

28. Als een inktvis inkt spuit, doet hij dat dan met zijn mond of met zijn anus?

29. Van welke staat was Ronald Reagan van 1967 tot 1975 gouverneur?

30. Wat meet een pluviometer?

 # antwoorden

21. In Amerika; Zuid-Amerika
    De stad ligt in Argentinië, aan de zuidkust van Vuurland.
22. Van pruimen
23. Voor honden
    Van het Griekse 'kunos' ('hond') en 'phobos' ('angst').
24. Dire Straits
25. Rood
    De vlag van de Franse Gemeenschap is een goudkleurig veld met daarop de afbeelding van een rode haan.
26. In 'Koning van de wereld'
    Jan Decleir speelt de rol van bokstrainer Max in die film, Kevin Janssens is de bokser Stan Vandewalle.
27. Bij Schalke 04
    Marc Wilmots speelde achtereenvolgens bij Sint-Truiden, KV Mechelen, Standard Luik, Schalke 04, Bordeaux en opnieuw Schalke 04.
28. Met zijn anus
    Inktvissen doen dat om zich te camoufleren.
29. Californië
    In 1980 werd hij tot president van de VS gekozen.
30. De hoeveelheid gevallen regen

BELGISCH ERFGOED OP DE UNESCO-WERELDERFGOEDLIJST

- De Vlaamse begijnhoven

- De vier scheepsliften in het Canal du Centre bij La Louvière en Le Roeulx

- De Grote Markt van Brussel

- De belforten in België en Frankrijk

- Het historische centrum van Brugge

- Herenhuizen van architect Victor Horta in Brussel:
  Hotel Tassel, Hotel Solvay,
  Hotel van Eetvelde, woning en atelier van Horta (Hortamuseum)

- De neolithische vuursteenmijnen in Spiennes (Bergen)

- De Onze-Lieve-Vrouwekathedraal in Doornik

- Het Plantin-Moretuscomplex in Antwerpen

1. Hoe noemt een schipper zijn officiële scheepsdagboek of scheepsjournaal?

2. Hoe heet het typisch Haagse snoepje met koffiesmaak?

3. Welke actrice regisseerde in 1983 de film 'Yentl' en speelde zelf de hoofdrol?

4. Van welke Senegalese stad wordt de naam in het luchtvaartjargon verkort tot 'DKR'?

5. Wat is een wapiti: een hert, een roofdier of een aap?

6. Bij welke Engelse club voetbalde de Fransman Thierry Henry van 1999 tot 2007?

7. Welke Poolse geleerde publiceerde in 1543 'Over de Omwenteling der Hemellichamen'? Hij verklaarde hierin dat de aarde om de zon draait, niet andersom.

8. Welke Vlaamse zanger vertegenwoordigde ons land op het Eurovisiesongfestival in 1967 met 'Ik heb zorgen' en in 1969 met 'Jennifer Jennings'?

9. Van welk gewas maken de Japanners sake?

10. Hoe noemen Indiërs het lichte, tweewielige en door één man getrokken voertuig dat in India veelvuldig als taxi gebruikt wordt?

antwoorden

1. **Logboek**
   Een log is een toestel om de snelheid van een schip te bepalen. De resultaten van de metingen met de log worden in het logboek opgetekend.
2. **Hopje; Haags hopje**
   Het snoepje werd in 1792 geïntroduceerd door baron Hop.
3. **Barbra Streisand**
   Streisand speelt hierin de rol van een joods meisje dat zich als jongen vermomt om zich te kunnen verdiepen in de joodse theologie.
4. **Van Dakar**
5. **Een hert**
   De wapiti is een grote hertensoort die leeft in Noord-Amerika.
6. **Bij Arsenal**
   In 2007 verhuisde hij naar FC Barcelona.
7. **Nicolaus Copernicus**
   Dit werk was opgedragen aan paus Paulus III, al botste het heliocentrische wereldbeeld met de leer van de katholieke kerk.
8. **Louis Neefs**
9. **Van rijst**
   Sake wordt soms ook 'rijstwijn' genoemd.
10. **Een riksja**
    Gelukkig voor de chauffeurs zijn de meeste riksja's nu gemotoriseerd.

11. Hoe noemt men de als konijn verklede serveersters in de nachtclubs van Playboy?

12. Welk soort natuurfenomenen zijn de altocumulus, de cirrus en de cumulonimbus?

13. Onder welke naam presenteerde Esther Verbeeck in de jaren zestig het kinderprogramma 'Klein, klein kleutertje'?

14. Welke ex-Miss België werd in 2005 het gezicht van het lingeriemerk Marie Jo?

15. Met welke titel spreek je volgens de titulatuurlijst in Van Dale een kardinaal aan: 'eminentie' of 'eerwaarde'?

16. Welke Belgische parlementariër en notoire beursgoeroe werd in 1995 veroordeeld wegens fraude en oplichting?

17. Welk speciaal schoeisel maakt Klein Duimpje de reus afhandig in het sprookje van Charles Perrault?

18. Welke Limburgse gemeente dankt haar naam aan een Belgische koning die er in 1835 een militair oefenkamp stichtte?

19. Bij welke balsport heeft het speelveld de grootste oppervlakte: bij basketbal, bij handbal of bij tennis?

28

20. In welk land werd in 1892 voor het eerst het tijdschrift Vogue, een maandelijks mode- en lifestyleblad voor dames, uitgebracht?

antwoorden

11. Bunny's
'Bunny' is kindertaal en betekent 'konijn'.

12. Wolken
Altocumuli zijn grove schaapjeswolken; cirri zijn witte vederwolken; en een cumulonimbus is een grote, zware wolkenmassa.

13. Onder de naam 'Tante Terry'
Esther Verbeeck trouwde met voetballer Jos Van Ginderen en noemde zich van dan af Terry Van Ginderen.

14. Tanja Dexters
Tanja Dexters was Miss België in 1998.

15. Met 'eminentie'
'Eerwaarde' is de aanspreektitel van een priester.

16. Jean-Pierre Van Rossem

17. Zevenmijlslaarzen

18. Leopoldsburg
Dat door Leopold I gestichte militaire oefenkamp is het kamp van Beverlo.

19. Bij handbal
Een handbalterrein meet 40 meter bij 20, een basketbalterrein 28 meter bij 15, een tennisterrein 23,77 meter bij 8,23.

20. In de Verenigde Staten (van Amerika)
Het blad was zo succesvol dat kort na de lancering in Amerika een Britse, Franse, Australische, Spaanse en Duitse editie werden uitgebracht.

21. Hoe noemt men de onoverwinnelijk gewaande Spaanse vloot die in 1588 door de Engelsen werd verslagen?

22. Waarvan heeft iemand last als hij bij de dokter op consultatie gaat en de diagnose luidt 'halitose'?

23. Welke in 1952 geboren Franse ontwerper verpakte parfums in flesjes in de vorm van paspoppen?

24. Hoe wordt het meer van Genève in Frankrijk genoemd?

25. Welke basketbalclub uit Chicago behaalde in de jaren negentig zes keer de NBA-titel?

26. Welke Scarlett speelt een hoofdrol in de films 'Girl with a Pearl Earring' en 'Lost in Translation'?

27. Wie werd in 1969 voorzitter van de Palestijnse bevrijdingsorganisatie PLO?

28. Welk nummer van André Hazes begint met de woorden 'In een discotheek, zat ik van de week'?

29. Wat is een boezelaar: een schort, een snoepje of een bustehouder?

30. 'Als er meer dan één manier is om een taak te doen en één van die manieren zal in een ramp resulteren, dan zal iemand het zo doen.' Aan welke Amerikaanse ruimtevaartingenieur hebben we deze 'wet' te danken?

antwoorden

21. Armada (invincible)
    Dat is Spaans is voor 'onoverwinnelijke gewapende vloot'.
22. Onwelriekende adem; slechte adem
23. Jean-Paul Gaultier
24. Lac Léman
    Wat verwijst naar de naam uit de Romeinse tijd: 'Lacus Lemannus'.
25. Chicago Bulls
    Meer bepaald in 1991, 1992, 1993, 1996, 1997 en 1998.
26. Scarlett Johansson
27. Yasser Arafat
28. Een beetje verliefd
    André Hazes overleed in 2004.
29. Een schort
30. Aan (Edward A.) Murphy

DE 25 BEVOLKINGSRIJKSTE GEMEENTEN VAN BELGIË (1januari 2008)

1	Antwerpen	472.071
2	Gent	237.250
3	Charleroi	201.593
4	Luik	190.102
5	Brussel	148.873
6	Brugge	117.073
7	Schaarbeek	116.039
8	Namen	107.939
9	Anderlecht	99.085
10	Leuven	92.704
11	Bergen	91.152
12	Sint-Jans-Molenbeek	83.674
13	Elsene	79.768
14	Mechelen	79.503
15	Aalst	78.271
16	La Louvière	77.616
17	Ukkel	76.732
18	Kortrijk	73.941
19	Hasselt	71.543
20	Sint-Niklaas	70.450
21	Oostende	69.175
22	Doornik	68.193
23	Genk	64.294
24	Seraing	61.657
25	Roeselare	56.547

1. Hoe heet de heldin van het computerspel 'Tomb Raider: The Angel of Darkness'?

2. In welke deelgemeente van Scherpenheuvel-Zichem worden onder meer Doremi's, Zonnelanden en Vlaamse Filmpjes gedrukt?

3. Welke Vlaamse zanger had eind jaren 90 hits in Vlaanderen met 'Mademoiselle Ninette', 'Basket Sloefkes' en 'Oh La La He Manuela'?

4. Welke kleur heeft de Italiaanse vlag behalve rood en wit?

5. Welk van deze dieren bestaat niet: de zaagvis, de beitelschildpad of de hamerhaai?

6. Welke zwarte actrice speelde zowel Catwoman als Jinx, een Bondgirl?

7. In het olympisch schermen maakt men gebruik van drie sportwapens: degen, sabel en … wat is het derde?

8. Wie van deze drie behoort niet tot het keukenpersoneel: een plongeur, een bombardeur of een saucier?

9. In welk Zwitsers plaatsje kwam op 29 augustus 1935 bij een verkeersongeval koningin Astrid van België om het leven?

10. Welk specifiek woord betekent 'het met kam en borstel reinigen van paarden'?

antwoorden

1. Lara Croft
2. In Averbode
   De uitgeverij is nog altijd gevestigd in de Norbertijnerabdij van Averbode. Uitgeverij Averbode geeft een 20-tal educatieve tijdschriften uit voor kinderen van 2 tot 18 jaar.
3. Sam Gooris
4. Groen
   De Italiaanse vlag bestaat uit drie verticale kleurbalken, van links naar rechts: groen, wit en rood.
5. De beitelschildpad
   De zaagvis is een rog met een zaagvormig verlengsel aan de kop waarmee hij in het zand naar beestjes wroet. De hamerhaai heeft een kop in de vorm van een hamer, met de ogen ver uit elkaar.
6. Halle Berry
   Catwoman speelde ze in de gelijknamige film en Jinx in de Bondfilm 'Die Another Day'.
7. Floret
8. Een bombardeur
   Een bombardeur is lid van de bemanning van een bommenwerper, een plongeur wast af, een saucier is een sauzenspecialist.
9. In Küssnacht
   Küssnacht am Rigi.
10. Roskammen

11. In welke gemeente bevindt zich de enige natuurlijke warmwaterbron van België?

12. Van welk Japans automerk is de Jazz een model?

13. Na hoeveel huwelijksjaren viert een paar zijn diamanten bruiloft?

14. Wat is de populaire naam van MDMA, een drug die in dansgelegenheden vaak in tabletvorm ingenomen wordt?

15. Wie is de auteur van 'De Bello Gallico', het verhaal van de oorlogen van de Romeinen tegen de Galliërs?

16. In welke van de volgende gewichtsklassen zijn de boksers het zwaarst: vedergewicht, vlieggewicht of weltergewicht?

17. Hoe noem je met een woord van zeven letters de indirecte belasting op gebruiksgoederen als alcohol en tabak?

18. Welke kleur heeft de leeuw in het logo van warenhuisketen Delhaize?

19. Welk van deze diernamen is geen naam van een teken van de Chinese horoscoop: haring, hond of haan?

20. Hoe heet het schiereiland dat het vasteland van Denemarken uitmaakt?

 # ANTWOORDEN

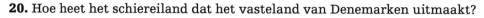

11. In Chaudfontaine
   Het bronwater heeft er een temperatuur van ongeveer 36 graden Celsius.
12. Van Honda
13. Na 60 jaar
14. Xtc; ecstasy
   MDMA is 3,4-methyleendioxymethamfetamine.
15. Julius Caesar
16. Weltergewicht
   Vlieggewicht gaat tot 51 kilogram, vedergewicht tot 57 kilogram en weltergewicht tot 67 kilogram.
17. Accijns
18. Zwart
19. Haring
20. Jutland
   Jylland in het Deens.

21. Wat was de voornaam van de Franse filosoof Descartes?

22. Van wat is 'tgv' in de vervoersector de afkorting?

23. Op welke stad is op 9 augustus 1945 de tweede atoombom terechtgekomen?

24. In welke Amerikaanse misdaadserie speelde Don Johnson de rol van Sonny Crocket?

25. Naar welke stad trokken de middeleeuwse bedevaarders die een sint-jakobsschelp aan hun gordel droegen?

26. Welke West-Vlaamse rapper en zanger werd begin 2006 ereburger van zijn geboortestad Izegem?

27. Welke filmklassieker uit 1969 met Peter Fonda en Dennis Hopper eindigt met de moord op twee motorrijders?

28. Welke legendarische Fin veroverde in de jaren twintig niet minder dan twaalf olympische medailles in loopwedstrijden?

29. Welk Londens paleis is sinds 1837 de officiële residentie van het Britse koningshuis?

30. Welke Lieven presenteerde op 7 januari 2008 samen met Phara de Aguirre de eerste aflevering van het Canvas-programma 'Phara'?

 # antwoorden

21. René
22. Train à grande vitesse
23. Op Nagasaki
    Hirosjima werd op 6 augustus 1945 gebombardeerd met de eerste A-bom.
24. In 'Miami Vice'
25. (Santiago de) Compostela
    De schelp is het teken van de heilige Jacob, een van de apostelen van Jezus. Volgens een legende zou zijn graf zich hier bevinden.
26. Flip Kowlier
27. Easy Rider
    Dennis Hopper was de regisseur, Peter Fonda de producer. Ze speelden allebei een hoofdrol. Ook Jack Nicholson speelt een rol in de film.
28. Paavo Nurmi
    Zijn olympische zegetocht begon in Antwerpen in 1920 met een zilveren medaille op de 5000 meter.
29. Buckingham Palace
30. Lieven Van Gils
    In 'Phara' wordt van gedachten gewisseld over de actualiteit in de ruimere zin van het woord, niet alleen over politiek.

HOOFDSTEDEN

VOORMALIG JOEGOSLAVIË

Bosnië-Herzegovina	**Sarajevo**
Kroatië	**Zagreb**
(Voormalige Joegoslavische Republiek) Macedonië	**Skopje**
Montenegro	**Podgorica**
Servië	**Belgrado**
Slovenië	**Ljubljana**

VOORMALIGE SOVJET-UNIE

Armenië	**Erevan (of Jerevan)**
Azerbeidzjan	**Bakoe**
Estland	**Tallinn**
Georgië	**Tbilisi**
Kazachstan	**Astana**
Kirgizië	**Bisjkek**
Letland	**Riga**
Litouwen	**Vilnius**
Moldavië	**Chisinau**
Oekraïne	**Kiev**
Oezbekistan	**Tasjkent**
Rusland	**Moskou**
Tadzjikistan	**Dusjanbe**
Turkmenistan	**Asjchabad**

1. Wat is volgens een gezegde gauw gevuld?

2. De VRT heeft een eigen postnummer. Is dat 1043 of 1009?

3. Welke Belgische wielrenner won in 1964 olympisch goud in Tokyo en werd later bondscoach van de Belgische baanrenners?

4. Hoe heet een van water voorziene, vruchtbare plaats in een woestijn? Vier letters.

5. Welke van deze vlinders bestaat niet: het blauwtje, het groentje, het witje of het zwartje?

6. Welke Duitse film van Wolfgang Petersen uit 1981 vertelt het verhaal van de bemanning van een U-boot tijdens een tocht in 1942?

7. Hoe heet het voetbalspel dat door Het Nieuwsblad georganiseerd wordt en waarbij men zijn eigen voetbalploeg kan samenstellen?

8. Welk aardolieprodukt wordt gebruikt als brandstof voor straalvliegtuigen en dankt zijn naam aan het Griekse woord voor 'was'?

9. Wie was Miss België 1987 en begon in 2004 het VTM-nieuws te presenteren?

10. Hoe heet de officiële munt van Polen?

30

 ANTWOORDEN

1. Een kinderhand
   'Een kinderhand is gauw gevuld' wordt doorgaans gebruikt om aan te geven dat iemand wel zeer snel tevreden is.

2. 1043
   1009 is het postnummer van de Belgische Senaat.

3. Patrick Sercu

4. Oase

5. Het zwartje

6. Das Boot
   'Das Boot' werd zesmaal genomineerd voor een Oscar, maar kreeg er geen enkele.

7. Megascore

8. Kerosine
   Het Griekse 'keros' betekent 'was'.

9. Lynn Wesenbeek

10. Zloty
    Onderverdeeld in 100 groszy.

11. Op hoeveel graden westerlengte ligt de nulmeridiaan?

12. Hoe laat is het drie kwartier voor tien voor vier?

13. Onder welk pseudoniem zong Cecilia Sophia Anna Maria Kalogeropoulos, een Amerikaanse sopraan van Griekse afkomst?

14. Welke in Wetteren geboren Freddy bokste 29 keer als prof en won 24 van die matchen?

15. Welke naam kreeg de Portugese revolutie van april 1974?

16. Wat is volgens Van Dale het meervoud van 'koningin-moeder'?

17. Welke Fransman slaagde er in 1982 én in 1985 in zowel de Ronde van Frankrijk als de Ronde van Italië te winnen?

18. Welke Duitse drukker wordt algemeen beschouwd als de uitvinder van de boekdrukkunst?

19. Met hoeveel dobbelstenen wordt het gezelschapsspel Yahtzee gespeeld?

20. In welke Vlaamse stad werden de zangeressen Axelle Red en Dana Winner geboren?

30

antwoorden

11. **Op nul graden (westerlengte)**
    De nulmeridiaan is de denkbeeldige lijn die de aarde in een westelijk en een oostelijk halfrond verdeelt.
12. **Vijf over drie**
13. **Onder de naam Maria Callas**
    Ze was een van de grootste operadiva's van de 20ste eeuw.
14. **Freddy De Kerpel**
15. **Anjerrevolutie**
    Na het slagen van de staatsgreep gingen de Portugezen massaal de straat op, getooid met rode anjers.
16. **Koningin-moeders**
17. **Bernard Hinault**
    Twee mannen deden hem dit voor: Anquetil in 1964 en Merckx in 1970, 1972 én 1974.
18. **Johannes Gutenberg**
19. **Met vijf**
20. **In Hasselt**
    Dana Winner (Chantal Vanlee) in 1965 en Axelle Red (Fabienne Demal) in 1968.

21. Welke pillen kan iedereen die in de buurt van een kerncentrale woont, sinds maart 1999 gratis afhalen bij een apotheker of op het gemeentehuis?

22. Welke typisch Amerikaanse sport staat centraal in de film 'Jerry Maguire'?

23. Hoe heet het Griekse gerecht dat bestaat uit gehakt, tomaten, aubergines en bechamelsaus?

24. Welke burcht werd in 1180 door Filips van den Elzas in Gent opgericht?

25. Bij welke Italiaanse club voetbalde Eric Gerets in het seizoen 1983-1984?

26. Welke Jan speelde op 20 januari 2007 voor het eerst de rol van 'het beest' in de Vlaamse versie van de musical 'Beauty and the Beast'?

27. Welke Noorse ontdekkingsreiziger bereikte in 1911 als eerste de Zuidpool?

28. Bij welke club beëindigde doelman Dany Verlinden in 2004 zijn spelerscarrière?

29. Welk van de volgende kledingstukken is geen regenjas: een trenchcoat, een mackintosh of een crinoline?

30. Met welke Amerikaanse actrice was Bruce Willis gehuwd van 1987 tot 2000?

 antwoorden

21. Jodiumpillen
    De jodiumpillen moeten bij een ongeval de schildklier beschermen tegen radioactief jodium.

22. American football
    'Jerry Maguire' is een film met Tom Cruise, Cuba Gooding Jr. en Renée Zellweger.

23. Moussaka

24. Het Gravensteen

25. Bij AC Milan

26. Jan Schepens

27. Roald Amundsen

28. Bij Club Brugge
    Dany Verlinden werd in 1988 overgenomen van Lierse en speelde vervolgens zestien seizoenen bij Club. Na zijn spelerscarrière werd hij keeperstrainer bij Club.

29. Een crinoline
    Een crinoline is een wijduitstaande rok, een trenchcoat is een gabardine regenjas met ceintuur, een mackintosh is een waterdichte jas.

30. Met Demi Moore

AFKORTINGEN

AOC	Appellation d'origine contrôlée
ABVV	Algemeen Belgisch Vakverbond
ADSL	Asymmetric Digital Subscriber Line
AVRO	Algemene Vereniging Radio Omroep
AVV-VVK	Alles Voor Vlaanderen – Vlaanderen Voor Kristus
BBC	British Broadcasting Corporation
BLOSO	Agentschap ter Bevordering van de Lichamelijke Ontwikkeling, de Sport en de Openluchtrecreatie
BRB	Be Right Back
CEO	Chief Executive Officer
CIA	Central Intelligence Agency
DVD	Digital Video Disc
ETA	Euskadi Ta Askatasuna
FAQ	Frequently Asked Question(s)
FBI	Federal Bureau of Investigation
FIAT	Fabbrica Italiana Automobili Torino
FIFA	Fédération Internationale de Football Association
FM	Frequentiemodulatie
GmbH	Gesellschaft mit beschränkter Haftung
GMT	Greenwich Mean Time
GPRS	General Packet Radio Service
GPS	Global Positioning System
GSM	Global System for Mobile Communications
HIFI	High Fidelity
HTTP	Hypertext Transfer Protocol
IKEA	Ingvar Kamprad, Elmtaryd, Agunnaryd
IMF	Internationaal Monetair Fonds (of International Monetary Fund)
ISS	International Space Station
LOL	Laughing Out Loud
LPG	Liquefied Petroleum Gas

NATO	North Atlantic Treaty Organisation
NAVO	Noord-Atlantische Verdragsorganisatie
NMBS	Nationale Maatschappij der Belgische Spoorwegen
OPEC	Organization of the Petroleum Exporting Countries
PIN	Persoonlijk Identificatienummer
RAM	Random Access Memory
ROM	Read Only Memory
RWDM	Racing White Daring Molenbeek
RVA	Rijksdienst voor Arbeidsvoorziening
SNCB	Société Nationale des Chemins de fer Belges
SOA	Seksueel overdraagbare aandoening
UFSIA	Universitaire Faculteiten Sint-Ignatius Antwerpen
UHT	Ultrahoge temperatuur
UMTS	Universal Mobile Telecommunications System
UNESCO	United Nations Educational, Scientific and Cultural Organization
USB	Universal Serial Bus
VDAB	Vlaamse Dienst voor Arbeidsbemiddeling en Beroepsopleiding
VMM	Vlaamse Milieumaatschappij
VMMa	Vlaamse Media Maatschappij
WLAN	Wireless Local Area Network

De vragenmaaksters (M/V)

Anneleen Huysman, Bas Coupé, Bavo Peeters, Bert Joosen,
Beryl Muller, Bram De Ryck, Bram Dooms, Christian Ceuterick,
Christophe Batens, David Dalemans, Dett Peyskens, Dirk Van Eyken,
Dirk Verbeeck, Elke Morren, Erik Goossens, Etienne Goossens,
Fabienne van Haelst, Freija Tyberghein, Geert Bouckaert,
Geert Colpaert, Geert Vanroelen, Hans Vermeulen, Heider Ridha,
Hilde Buyse, Hugo Boogaerts, Huguette Deck, Jan De Messemaeker,
Jan Huybrechts, Jan Meersmans, Jan Van Eyken, Jeroen Reumers,
Jo Vermeulen, Johan Leyers, Johan Verhalle, Kevin Van Cutsem,
Koen Boute, Kris Soret, Lies Van den Berghe, Luc Heyvaert,
Luk Alloo, Luk Meert, Manar Rayyan, Marc de Bel, Mark Rummens,
Marleen Cappellemans, Maurits Lemmens, Moenen Erbuer,
Nick De Clippel, Peggy Van de Velde, Pieter Boone, Reginald Verlinde,
Rina Ferrai, Roosje Galle, Rudi Goossens, Ruth Awouters,
Sara De Gols, Son Tyberg, Sonja Nauwelaers, Stefan Willems,
Tim Duchateau, Veroon Marques Balsa, Werner van Craen en
Wim Verbeken